हिम्मत जौनपुरी

राही मासूम रज़ा

राजकमल पेपरबैक्स

पहला पुस्तकालय संस्करण
राजकमल प्रकाशन प्राइवेट लिमिटेड द्वारा
1995 में प्रकाशित

राजकमल पेपरबैक्स में
पहला संस्करण : 2023
दूसरा संस्करण : 2025

राजकमल पेपरबैक्स : उत्कृष्ट साहित्य के जनसुलभ संस्करण

राजकमल प्रकाशन प्रा.लि.
1-बी, नेताजी सुभाष मार्ग, दरियागंज
नई दिल्ली-110 002
द्वारा प्रकाशित

शाखाएँ : अशोक राजपथ, साइंस कॉलेज के सामने, पटना-800 006
पहली मंजिल, दरबारी बिल्डिंग, महात्मा गांधी मार्ग, प्रयागराज-211 001
1, अनमोल सोराबजी सन्तुक लेन, धोबी तलाव, मरीन लाइंस, मुम्बई-400 002
वेबसाइट : www.rajkamalprakashan.com
ई-मेल : info@rajkamalprakashan.com

विकास कम्प्यूटर एंड प्रिंटर्स
ट्रॉनिका सिटी-201 102
द्वारा मुद्रित

मूल्य : ₹250

HIMMAT JAUNPURI
Novel by Rahi Masum Raza

ISBN : 978-81-19028-99-3

राही मासूम रज़ा

राही मासूम रज़ा का जन्म 1 सितम्बर, 1927 को ग़ाज़ीपुर, उत्तर प्रदेश में हुआ। प्रारम्भिक शिक्षा वहीं हुई, बाद की पढ़ाई अलीगढ़ मुस्लिम यूनिवर्सिटी में, जहाँ से 'उर्दू साहित्य के भारतीय व्यक्तित्व' विषय पर

पी-एच.डी. की। उसके बाद अलीगढ़ यूनिवर्सिटी में ही कई वर्षों तक उर्दू साहित्य पढ़ाया। बाद में फ़िल्म-लेखन के लिए बम्बई गए। फ़िल्मों के लिए लिखने के साथ-साथ हिन्दी-उर्दू में समान रूप से सृजनात्मक लेखन किया। बी.आर. चोपड़ा के निर्देशन में बने महत्त्वपूर्ण दूरदर्शन धारावाहिक 'महाभारत' के पटकथा और संवाद-लेखक के रूप में प्रशंसित। एक ऐसे कवि-कथाकार, जिनके लिए भारतीयता आदमीयत का पर्याय रही।

उनकी प्रमुख पुस्तकें हैं—'आधा गाँव', 'टोपी शुक्ला', 'हिम्मत जौनपुरी', 'सीन : 75', 'ओस की बूँद', 'असंतोष के दिन', 'दिल एक सादा काग़ज़', 'कटरा बी आर्ज़ू', 'नीम का पेड़' (हिन्दी उपन्यास); 'मुहब्बत के सिवा', 'कारोबारे तमन्ना', 'क़यामत' (उर्दू उपन्यास); 'मैं एक फेरीवाला' (हिन्दी कविता-संग्रह); 'नया साल', 'मौजे गुल : मौजे सबा', 'रक्से मय', 'अजनबी शहर : अजनबी रास्ते' (उर्दू कविता-संग्रह); 'अट्ठारह सौ सत्तावन' (हिन्दी-उर्दू महाकाव्य) तथा 'छोटे आदमी की बड़ी कहानी' (जीवनी)।

निधन : 15 मार्च, 1992

हिम्मत जौनपुरी

शजरा—हिम्मत जौनपुरी

- शेख़ मुहम्मद हसन 'दाना' जौनपुरी
  - शेख़ मुहम्मद हुसैन उर्फ़ शेख़ फ़िदा अली 'खंजर' जौनपुरी
    - दो लड़कियाँ
    - शेख़ मुहम्मद फेकू 'वफ़ा' जौनपुरी
      - शेख़ शुजाअत अली 'हिम्मत' जौनपुरी
        - पाँच लड़कियाँ
        - शेख़ अली हातिम 'फ़ना' जौनपुरी
          - शेख़ अब्दुल हई 'ख़ामोश' जौनपुरी
          - शेख़ मुहम्मद अली 'जावेद' जौनपुरी
            - शेख़ शुजाअत अली 'दिलगीर' जौनपुरी
              - शेख़ सुबहानल्लाह 'बर्क' जौनपुरी
              - सात लड़कियाँ
              - शेख़ बरकतुल्लाह 'आरज़ू' जौनपुरी
                - शेख़ सलामत अली 'नादिर' जौनपुरी
                  - शेख़ मुबारक अली 'हिम्मत' जौनपुरी
      - एक लड़की
  - चार लड़कियाँ

पहला हिस्सा

यानी हिम्मत की आत्मा का परिचय और उसके बनवास तक के हालात।

कहानी शुरू करने से पहले कथाकार यह बताना ज़रूरी समझता है कि श्री हिम्मत जौनपुरी वास्तव में ग़ाज़ीपुरी थे। कई सौ बरस पहले जौनपुर के शर्क़ी बादशाहों के ज़माने में इनके बुज़ुर्गों को जौनपुर छोड़ना पड़ा तो ये लोग ग़ाज़ीपुर में आ बसे। परन्तु जौनपुर से इनकी आत्मा का रिश्ता न टूटा। ग़ाज़ीपुर में नस्लों के बाद नस्लें गुज़ार लेने के बाद भी ये लोग अपने-आपको जौनपुरी ही कहते रहे। ग़ाज़ीपुर ने कभी इसका बुरा नहीं माना क्योंकि उसे मालूम था कि ये लोग जब आए थे तब अवश्य जौनपुरी थे, फिर धीरे-धीरे उनकी रगों में दौड़नेवाला ख़ून ग़ाज़ीपुरी होने लगा। और हिम्मत जौनपुरी के परदादा तक आते इस परिवार की रगों में जौनपुरी ख़ून की एक बूँद भी नहीं रह गई। सारे का सारा ख़ून ग़ाज़ीपुरी हो चुका था क्योंकि इनके परदादा श्री 'दिलगीर' जौनपुरी की बीवी भी ग़ाज़ीपुर की थी। अब तक ये लोग बेटियाँ भले ही ग़ाज़ीपुर में ब्याह देते थे परन्तु जौनपुरी लटक को बचाने के लिए बेटों का ब्याह हमेशा जौनपुर ही में किया करते थे। परन्तु ये श्री 'दिलगीर' जौनपुरी ग़ाज़ीपुर की एक लड़की पर आशिक़ हो गए। आप जानिए इश्क़ तो ग़ाज़ीपुर और जौनपुर का भेदभाव मानता नहीं। घर के बड़े-बूढ़ों ने बहुत समझाया कि उन्हें इश्क़ पर कोई एतराज नहीं, परन्तु शादी जौनपुर में ही होनी चाहिए। मगर श्री 'दिलगीर' जौनपुरी ने

एक न सुनी और एक दिन उन्होंने अपने इश्क़ की छुरी से उस मग़रूर ख़ानदान की नाक काट दी। और इस तरह इस जौनपुरी परिवार के पेड़ में ग़ाज़ीपुर की पहली शाख़ निकली परन्तु यह शाख़ भी अपने-आपको जौनपुरी ही कहती रही। श्री 'दिलगीर' जौनपुरी का ज़िक्र मैं इसलिए कर रहा हूँ कि श्री हिम्मत जौनपुरी की कहानी दरअस्ल वहीं से शुरू होती है।

मैंने श्री 'दिलगीर' जौनपुरी को नहीं देखा। मैंने उनके ग़ाज़ीपुर को भी नहीं देखा। मगर सोच सकता हूँ। उनके दिनों में यह शहर अवश्य ख़ुशहाल रहा होगा। और यह बात मैं सुनी-सुनाई बातों के आधार पर नहीं कह रहा हूँ बल्कि श्री 'दिलगीर' जौनपुरी की 'मसनवी दरबयाने इश्क़े-रामो-सीता' के आधार पर कह रहा हूँ। श्री 'दिलगीर' जौनपुरी ने मरने के बाद तीन चीज़ें छोड़ीं। दो बेटे, एक मसजिद और यह 'मसनवी दरबयाने-इश्क़े-रामो-सीता'। उनके दोनों बेटे मर-खप गए। जहाँ मसजिद हुआ करती थी वहाँ आज धोबियों का क़ब्रिस्तान है और किसी को पता भी नहीं कि यहाँ कभी कोई मसजिद भी हुआ करती थी। लेकिन बड़े-बूढ़े अब भी उस मसनवी के शेर गुनगुनाते रहते हैं। शायद मैं भी बूढ़ा हो जाने के बाद उसके शेर गुनगुनाऊँगा। और मरने से पहले आबू और मरियम को इस मसनवी के शेर ज़रूर याद करवा दूँगा ताकि उन्हें यह मालूम हो कि इसी हिन्दुस्तान में यह भी होता था कि एक ही आदमी मसजिद भी बनवाता था और 'मसनवी दरबयाने-इश्क़े-रामो-सीता' भी लिखता था। राम और मसजिद का बैर बहुत पुराना नहीं है। यदि इनमें झगड़ा होता तो 'रसखान' ने मक्के के गड़रिये की जगह ब्रज के गड़रिये को अपने काव्य की आत्मा क्यों बनाया होता और सूफ़ियों ने कृष्ण की काली कमली अपने मौहम्मद को उढ़ाकर उन्हें काली कमलीवाला क्यों कहा होता। मौहम्मद की कमली तो स्याह और सफ़ेद धारियोंवाली थी—जमइयतुल-ओलमाये-(हिन्द) के झंडे की तरह। और इसीलिए तो मैं हैरान हूँ कि यहाँ के मुसलमान, कमलीवाले झंडे को छोड़कर हरे

चाँद-तारे वाले ग़ैर-इस्लामी झंडे के नीचे क्यों इकट्ठा हो गए? मैं इन सवालों के जवाब देना नहीं चाहता क्योंकि मैं कथाकार हूँ। परन्तु आबू और मरियम को मैं 'मसनवी दरबयाने-इश्क़े-रामो-सीता' के शेर अवश्य याद करवाऊँगा। सुना है कि यह मसनवी जब लिखी गई थी तो कोई पाँच-साढ़े पाँच हज़ार शेरों की थी, परन्तु हर साल इसके कुछ न कुछ शेर गुम होते जाते हैं। इसके चार-साढ़े चार सौ शेर अब भी जी रहे हैं। हुआ यह कि श्री 'दिलगीर' जौनपुरी के सिवा किसी ने इसे लिखा नहीं। सुना है कि नवल किशोर (लखनऊवाले) इसे एक ज़माने में छापना चाहते थे, किन्तु उन्हें इसका कोई सही नुस्ख़ा (पांडुलिपि) नहीं मिला। मैं यह सोच-सोचकर उदास होता रहता हूँ कि वह दिन कितना मनहूस होगा जिस दिन यह मसनवी मर जाएगी! इसके मरने की रफ़्तार बहुत तेज़ है। आदमी को उदास होने के लिए बहुत दूर नहीं जाना पड़ता। उदास होने के लिए इतना ही काफ़ी है कि आदमी लेट जाए और उन चीज़ों को याद करने लगे जिन्हें वह भुला चुका है। कुछ दिन पहले मुझे इस मसनवी के कोई सौ-सवा सौ शेर याद थे। आज सोचता हूँ तो पचास-साठ से ज़्यादा नहीं याद आते! डरता हूँ कि कहीं आबू और मरियम के बड़े होने से पहले ही मैं ये पचास-साठ शेर भी न भूल जाऊँ। मुझे इस मसनवी के मरने का बड़ा अफ़सोस होगा, क्योंकि श्री हिम्मत जौनपुरी स्वर्गवासी हो चुके हैं और यदि 'मसनवी दरबयाने-इश्क़े रामो-सीता' भी स्वर्गवासी हो गई तो यह परिवार ख़त्म हो जाएगा जो सदियों पहले ग़ाज़ीपुर आया था, जो ग़ाज़ीपुरी बन गया; परन्तु जो अपने-आपको जौनपुरी ही कहता रहा। जौनपुर से इन लोगों को कोई लगाव नहीं था। जौनपुर केवल ज़ख़्म का एक निशान था, और इसीलिए वह उसे भूलना नहीं चाहते थे।

वैसे तो यह परिवार भी ग़ाज़ीपुर के साथ-साथ ख़ुशहाल रहा। और जब इस शहर के बुरे दिन आए तो यह परिवार भी बूढ़ा हो गया। पुराने शहरों और ख़ानदानों का एक ही हश्र होता है। 'मसनवी दरबयाने इश्क़े-

रामो-सीता' की तरह पुराने शहरों और परिवारों के शेर धीरे-धीरे गुम होते रहते हैं। फिर केवल नाम रह जाते हैं। काबुल, नैनवा, हड़प्पा, श्रीवस्ती, और फिर नाम भी नहीं रह जाते। खुदाई में कुछ ईंटें, कुछ टूटे हुए बरतन निकल आते हैं तो हम उन शहरों के बारे में स्वप्न देखना शुरू कर देते हैं। इन बरतनों में क्या पकता रहा होगा; इन बरतनों में खानेवाले क्या पहनते रहे होंगे; कैसे मकानों में रहते रहे होंगे; कैसे इश्क़ करते रहे होंगे; कैसे जीते रहे होंगे और कैसे मरते रहे होंगे। हम उस शहर को ख़यालों, पत्र-पत्रिकाओं और किताबों में फिर से बसाते हैं, परन्तु हम उसे कोई नाम नहीं दे पाते क्योंकि वह शहर हिम्मत जौनपुरी की तरह मर चुका होता है। इसीलिए मैं यह कहानी सुना रहा हूँ कि हिम्मत जौनपुरी कभी एक बेनाम मुरदा शहर न बनें! और चूँकि उनकी कहानी वास्तव में स्वर्गवासी श्री 'दिलगीर' जौनपुरी से आरम्भ होती है इसलिए मैं भी इस कहानी को वहीं से शुरू करना चाहता हूँ, लेकिन ज़ाहिर है कि सुनी-सुनाई बातों को विस्तार से नहीं सुना सकता। बस एक चीज़ के बारे में यक़ीन से कह सकता हूँ कि जिस मकान में श्री हिम्मत जौनपुरी मर न सके उसी मकान में श्री 'दिलगीर' जौनपुरी रहा करते थे। तब यह मकान अब से अच्छा रहा होगा। तब दीवारें जवान रही होंगी और खिड़कियाँ भी आज की तरह पोपली न रही होंगी। तब यह सदियों पुराना शहर भी इतना बूढ़ा न रहा होगा। और इसीलिए मैंने 'मसनवी दरबयाने-इश्क़े-रामो-सीता' की बात निकाली है। पुराने कथाकारों को अपने शहर की बात करने में बड़ा मज़ा आता था। कहानी होगी किसी शहज़ादे जाने-आलम की परन्तु रजब अली बेग 'सुरूर' बयान करेंगे अपने लखनऊ की। ये पुराने लोग अपने शहर से बहुत प्यार किया करते थे। श्री 'दिलगीर' जौनपुरी भी पुराने व्यक्ति थे। इसीलिए 'मसनवी दरबयाने-इश्क़े-रामो-सीता' में पहले अल्लाह की तारीफ़ है। फिर रसूल की। फिर चारों खलीफाओं की। और फिर ग़ाज़ीपुर का बयान है। इस चैप्टर का शीर्षक बड़ा प्यारा

है। 'दरबयाने-शहरे-आज़ादाँ-व-गुल-पैरहनाँ, नज़रे-बद-दूर कि मौसूम ब-ग़ाज़ीपुर' है। देखा आपने। यह शीर्षक लगानेवाला अपने आपको जौनपुरी कहा करता था! लिखते हैं :

कुछ इसका मेज़ाज जौगीया है।
गंगा के किनारे बस गया है।
गंगा की तरह सिजिल सिजिल भी।
गंगा की तरह ये पाक दिल भी॥
हर दिल में चेराग जल रहा है।
हर दिल में यहाँ अयोध्या है॥
बेले में हवा अटक रही है।
जूही से सवा ठनक रही है॥
महुए की महक ने क्या कहा है।
ताड़ों पे नशा चढ़ा हुआ है॥
क्योड़े के शजर महक रहे हैं।
मन्दिर के कलस चमक रहे हैं॥
आमों पे वो बौर आ रही है।
बाग़ों की हवा बुला रही है॥
हर होंट है प्यार का समुन्दर।
हर आँख वफ़ा की है पयम्बर॥
भरपूर है कितना क्या बताऊँ।
दिलगीर कहाँ क़लम लगाऊँ॥

ये उस मसनवी के कुछ फुटकर शेर हैं। इन्हीं से अन्दाज़ा लगाया जा सकता है कि जब ताड़ों पर नशा चढ़ा हुआ है तो ज़िन्दगी कैसी लगती रही होगी। या कम-से-कम कवि को ज़िन्दगी कैसी लगती रही होगी। ग़ाज़ीपुर का बयान इसी रसीली और महकती हुई और लचकीली

शैली में किया गया है। अफ़सोस कि ग़ाज़ीपुर में 'लाट' कार्नवालिस की क़ब्र है लेकिन 'दिलगीर' जौनपुरी की क़ब्र का पता नहीं है। एक दिन हिम्मत जौनपुरी ने बड़े इमामबाड़े की पंचायती गड़ावर में एक जगह की तरफ़ देखते हुए कहा था, 'शाइद परदादा साहब की कबर हिंअईं है।'

कहते हैं कि जिस ज़माने में उन्होंने अपनी मसनवी शुरू की थी उन्हीं दिनों वह बेगम नामी एक नौकरानी पर आशिक़ हो गए। इस मसनवी में ग़ाज़ीपुर के बाद बेगम ही का ज़िक्र किया गया है :

दिलगीर को याद है ज़बानी।
अट्ठारा की वह हरी जवानी॥
आँखों में खड़ी हुई मुहब्बत।
होंटों में भरी हुई शिराफ़त॥
क़द वो कि बड़ा कहें न छोटा।

(दूसरा मिसरा याद नहीं रह गया है)

नाख़ून, कि नगीना जड़ दिया है।
क़ुदरत ने कमाल कर दिया है॥
सोचा कि जो हो सो होय आलम।
बेगम को बनाऊँगा मैं बेगम॥

लगता है कि मसनवी में यह 'दरबयाने-बेगम' वाला हिस्सा बाद में शामिल किया गया है, क्योंकि कल्लू उस्ताद कहा करते थे कि यह अकेला हिस्सा सात सौ उन्नीस शेरों का था। रात को जब अफ़ीम घुलती तो कल्लू उस्ताद इस हिस्से के शेर गुनगुनाया करते थे। मैंने ख़ुद देखा है कि वह गुनगुनाते जाते थे, रोते जाते थे और कहते जाते थे कि 'बहनचो' आदमी जवाँमर्द था। उन्हें यह पूरा हिस्सा याद था क्योंकि उन्हें भी एक नौकरानी गुलाबो से प्यार हो गया था, लेकिन उनके पिता उस्ताद

अल्लारक्खे ने जूता सँभाला तो उस्ताद कल्लू के इश्क़ का नशा हिरन हो गया। हाँ, मगर उन्होंने किसी से शादी न की। पूरी ज़िन्दगी सरोद बजाने, अफ़ीम खाने और 'दरबयाने-बेगम' के सात सौ उन्नीस शेर गुनगुनाने में गुज़ार दी। वह 'दरबयाने-बेगम' को अपनी व्यक्तिगत चीज़ समझते थे। इसलिए दो-चार बार मैंने उसके लिखने की बात छेड़ी तो वह ख़फ़ा हो गए और गाली देकर बोले : "बाप ने गुलाबो को छीन लिया और तुम बेगम पर हाथ साफ़ करना चाहते हो। जाने अभी कितने दिन और जीना है। अकेली अफ़ीम बेचारी कब तक जिला पाएगी।" मैं क्या करता। चुप हो गया। कोई चार साल हुए घर गया तो पता चला कि उस्ताद कल्लू मर गए। उन्हीं के साथ 'दरबयाने-बेगम' वाला हिस्सा भी मर गया। कुछ शेर मुझे याद रह गए हैं। इश्क़ का पता चला तो 'दिलगीर' साहब के पिता के. आसिफ़ के मुग़ले-आज़म बन गए। अनारकली को दीवार में चुनवाने पर आमादा। परन्तु ख़ैरियत गुज़री कि राज अंग्रेज़ बहादुर का था और ज़िले के 'कलट्टर' भी एक 'साहब' ही थे इसलिए मुग़ले-आज़म अनारकली को दीवार में न चुनवा सका तो पिता बनकर इकलौते बेटे से बोला :

बेगम से अभी नज़र हटा लो।
या फिर मुझे संखिया खिला दो॥
कजगाँव[1] के हैं जो शेख़ नुसरत।
उनकी दुख़्तर है एक नेक ख़सलत॥
सूरत ऐसी, कि बस परी है।
अंगूर, अनार, रस भरी है॥
बेगम कमज़ात, खुरदुरी है।
और दूसरे यह कि साँवली है॥

1. जौनपुर का एक गाँव।

यह शेर पढ़कर उस्ताद कल्लू हमेशा रुक जाया करते थे और 'दिलगीर' जौनपुरी के पिता को देर तक फ़रमाइशी गालियाँ दिया करते थे। और तब कहते थे कि : "देखते हो! कमबख्त कहता है 'और दूसरे यह कि साँवली है।' जैसे साँवला होना कोई ऐब हो। मैं तो समझता हूँ कि इसके बुज़ुर्गों ने साँवले रंग ही की बुराई की होगी और शर्क़ी बादशाहों ने इसी पर ख़फ़ा होकर सालों को शहर-बदर कर दिया होगा। मैं तो कहता हूँ फाँसी दे देते तो अच्छा होता—'और दूसरे यह कि साँवली है।'..." वह इतने ज़ोर से आख-थू करते थे कि पिनक में आया हुआ कोई मुसाहिब चौंक पड़ता और 'सुबहान अल्लाह, सुबहान अल्लाह' कहने लगता। उस्ताद उसे घूरते और फिर वही मिसरा पढ़ते, 'और दूसरे यह कि साँवली है।' मुसाहिब फ़ौरन समझ जाता कि उस्ताद क्या-क्या कह चुके हैं! बस वह वहीं से शुरू हो जाता : "अरे भय्या बन्दर क्या जाने अदरक का स्वाद! असली रंग तो साँवला होता है।" यह सुनकर उस्ताद बड़ी उदासी से मुस्कुराते और गट्टा दबाकर हुक़्क़े के कश लेने लगते और अपनी गुलाबो को याद करने लगते जो साँवली थी और जिसका ब्याह उनके पिता ने फुत्ते ख़ाँ पहलवान से कर दिया था। देर तक गुलाबो की यादों की साँवली परछाइयों के जंगल में भटकने के बाद वह वापस आते तो उनकी आँखों की तरफ़ देखनेवाला वह मुसाहिब अपनी तक़रीर फ़ौरन ख़त्म कर देता। और सच्ची बात तो यह है कि तक़रीर उसे ज़बानी याद थी और उसे यह भी याद हो चुका था कि उस्ताद को वापस आने में कितनी देर लगती है। इसलिए इधर उस्ताद वापस आते और उधर उसकी तक़रीर ख़त्म होती और वह दूसरी गोली की तैयारी में लग जाता। उस्ताद जली हुई चिलम के दो-चार कश लेते, नौकर को ताज़ा हुक़्क़ा लाने का हुक्म देते, कुछ देर आँखें बन्द किए हुए गुनगुनाते रहते, और फिर शुरू हो जाते :

मैंने ये कहा हुज़ूर अब्बा।
मजनूँ की निगाह में है लैला॥
कजगाँव में हैं जो शेख़ नुसरत।
दुख़्तर होएगी उनकी नेक ख़सलत॥
सूरत-सीरत में है परी भी।
अंगूर, अनार, रस भरी भी॥
बेगम ही मेरे लिए हसीं है।
बेगम जो नहीं तो कुछ नहीं है॥

बाक़ी शेर मुझे याद नहीं रह गए हैं। हुआ यह कि जब दिलगीर साहब ने कजगाँव की परी से शादी नहीं की तो उनके पिता ने उन्हें घर से निकालकर शहर में डुग्गी पिटवा दी और सरकार में अर्ज़ी गुज़ार दी कि उन्होंने शेख़ मोहम्मद अली जौनपुरी वल्द शेख़ अली हातिम 'फ़ना' जौनपुरी यानी फ़िदवी ने अपने इकलौते बेटे शेख़ शुजाअत अली 'दिलगीर' जौनपुरी को ग़ैर-कुफ़्र में शादी करने की वजह से आक़ कर दिया है। इधर से मुतमइन होकर उन्हें इसकी फ़िक्र हुई कि अब घर का नाम कैसे चलेगा क्योंकि अब तक उनके ख़ानदान में किसी के दो बेटे नहीं हुए थे। वह अपने बाप के इकलौते थे और उनके बाप अपने बाप के। और यह सिलसिला यूँ ही जौनपुर तक चला जाता था। इसलिए घर का चिराग जलाने के लिए कजगाँव के शेख़ नुसरत की उस बेटी से ख़ुद शादी कर ली जो उनके ख़याल में अंगूर, अनार, रस भरी थी। फिर वह जब तक जीते रहे माजून खाते रहे और गंडा-तावीज़ करते रहे मगर उस 'रस भरी' के यहाँ कोई औलाद न हुई। औलाद का अरमान लिए हुए वह मर गए। श्री 'दिलगीर' जौनपुरी की बहनों ने सारी जायदाद पर क़ब्ज़ा कर लिया लेकिन श्री 'दिलगीर' जौनपुरी ने दिल बुरा नहीं किया। वह इसी में मस्त रहे कि :

बेगम है अगर तो क्या कमी है।

बेगम से उनके यहाँ दो बेटे और सात बेटियाँ हुईं। पहला बेटा शेख़ सुबहान अल्लाह 'बर्क़' जौनपुरी बड़ा बाँका शायर हुआ। उसने भी एक मसनवी 'दर्दे-नवबहार यानी क़िस्सये रामो-सीता' और दूसरी मसनवी 'गौहरे-आबदार यानी करबला-कथा' लिखी। हिम्मत जौनपुरी ने अपने आपको बेचकर ये दोनों मसनवियाँ छापीं। लेकिन मसनवी पढ़नेवाली नस्ल ख़त्म हो चुकी थी। इसलिए छपी हुई इन दोनों मसनवियों को दीमक खा गईं। धीरे-धीरे तमाम किताबें मिट्टी में बदल गईं, लेकिन हिम्मत जौनपुरी ने उन्हें रद्दी में बेचना गवारा न किया। उनका बड़ा अरमान था कि वह इन दोनों मसनवियों को देवनागरी में भी छापें। यही अरमान लेकर वह बम्बई आए थे। दिल में एक यही अरमान लिए-लिए वह मर भी गए। परन्तु अभी मैं उनके मरने की बात करना नहीं चाहता। अभी तो मैं 'मसनवी दरबयाने-इश्क़े-रामो-सीता' के देहान्त की बातें कर रहा हूँ।

हाँ, तो मैं कह रहा था कि बेगम से 'दिलगीर' जौनपुरी के यहाँ दो बेटे हुए और सात बेटियाँ। पहले बेटे का नाम शेख़ सुबहान अल्लाह और तख़ल्लुस 'बर्क़' था और उन्होंने पेशा हकीमी का इख़्तियार किया। दूसरे बेटे का नाम शेख़ बरकतुल्लाह 'आरजू' जौनपुरी था। यही 'आरजू' जौनपुरी हिम्मत जौनपुरी के दादा थे। इन्होंने कोई मसनवी नहीं लिखी। इन्होंने शायरी ही नहीं की। बाप ने पैदा होते ही कुरआन से नाम और दीवाने-हाफ़िज़ से तखल्लुस निकालकर रख दिया था। इसलिए बाप की शर्मा-हुजूरी में यह बेचारे ज़िन्दगीभर अपने-आपको 'आरजू' जौनपुरी कहा किए। वैसे उन्हें पहलवानी का शौक था और वह उस्ताद कल्लू के पिता उस्ताद अल्लारक्खे के शागिर्द हुए। उस्ताद अल्लारक्खे इनसे बहुत ख़ुश रहा करते थे क्योंकि वह अपने बेटे कल्लू से नाख़ुश थे कि

वह कुश्ती नहीं लड़ता बल्कि मियाँ बुलाक़ी के ज़ानू से ज़ानू मिलाकर बैठता है और सरोद बजाता है। नतीजे में 'आरज़ू' जौनपुरी की उस्ताद से तो गाढ़ी छनी लेकिन बाप ने मुँह नहीं लगाया। एक बार इन्होंने एक दंगल मारा और लोगों ने दिलगीर साहब को मुबारक दी तो वह ख़फ़ा होकर लाहौल पढ़ते हुए अन्दर चले गए और बेगम से बोले :

"तुम्हारे दूसरे साहबजादे ने तो हमें ज़लील करने का बीड़ा उठा लिया है।"

"का भया?" बेगम मुसकुराईं।

दिलगीर साहब को इस 'अया-भया' वाली भाषा से बड़ी नफ़रत थी, परन्तु जब बेगम बोलतीं तो इसी भाषा में ऐसी मिठास आ जाया करती थी कि उनके होंठ चिपक जाया करते थे।

"तुमसे तो कुछ कहना फ़िजूल है। अरे भई, यह कुश्ती लड़ना क्या शरीफ़ों का काम है?"

"आपो कभईं-कभईं कैसी बात करै लगत हैं। ए भाई कुश्ती में कउन ख़राबी है। हमरे बड़के बाबा ही पहलवान रहे।..." बेगम अपने बड़के बाबा की पहलवानी का कोई क़िस्सा सुनातीं। उन्हें क्या मालूम था कि दिलगीर साहब ने जो उनसे प्यार किया और उनसे शादी कर ली तो इसका मतलब यह नहीं कि वह उसके बड़के बाबा को शरीफ़ भी समझने लगे। बेगम का प्यार भी ससुराली अज़ीज़ों को शरीफ़ आदमी साबित करने में सफल नहीं हो सका था। दिलगीर साहब ने अपनी ससुराल वालों को स्वीकार नहीं किया था। बेगम को अपने मायकेवालों से मिलने की इजाज़त नहीं थी। इसीलिए बेगम जब कभी अपने घरवालों की बात निकालतीं तब दिलगीर साहब ख़फ़ा हो जाते :

"मैंने लाख मना किया है कि तुम इस घर में बड़के बाबा वग़ैरा का ज़िक्र न किया करो।"

यह सुनकर बेगम भी बिगड़ जातीं।

आख़िर एक दिन बात इतनी बढ़ी कि छिहत्तर बरस के 'दिलगीर' जौनपुरी ने चौंसठ बरस की बेगम को तलाक़ दे दी। घर में सन्नाटा हो गया। सब चुप! बस एक 'आरज़ू' जौनपुरी चुप न रह सके। नतीजे में दिलगीर साहब ने 'आरज़ू' जौनपुरी को घर से निकाल दिया। ये उसी समय अपनी माँ को लेकर घर से निकल गए। यहाँ आते-आते उस्ताद कल्लू 'दिलगीर' जौनपुरी को गालियाँ देने लगते : "बहनचो क्या चूतिया आदमी था। साले को तलाक़ ही देनी थी तो शादी ही करने की क्या ज़रूरत थी।"

यह तक़रीर इसका इशारा हुआ करती थी कि 'दरबयाने-बेगम' समाप्त हुआ। दिलगीर ने तलाक़ के बाद के वाक्यात नहीं लिखे हैं। मसलन, उन्होंने यह तक नहीं लिखा कि बेगम तलाक़ पाने के सातवें दिन ठीक उसी समय पर मर गईं जिस समय पर सात दिन पहले उसे तलाक़ दी गई थी! उन्होंने तो तलाक़ के बाद अस्ल क़िस्सा शुरू कर दिया, किन्तु जैसा कि मैं पहले कह चुका हूँ यह हिस्सा मसनवी के बाद लिखा गया है, क्योंकि मसनवी के शेर 'दरबयाने-बेगम' से पुराने हैं। लगता यह है कि बेगम के हुस्न के बारे में तो उन्होंने पहले ही लिखा था क्योंकि यह उसी से गुरेज़ करके सीताजी के हुस्न पर गए। मेरा ख़याल यह है कि 'दरबयाने-बेगम' के बाक़ी शेर उन्होंने तलाक़ के बाद लिखे। मेरा ख़याल यह भी है कि 'दरबयाने-बेगम' अधूरा है। जिस तरह इसमें यह नहीं लिखा है कि बेगम तलाक़ के सातवें दिन मर गईं, उसी तरह इसमें इसका ज़िक्र भी नहीं है कि 'दिलगीर' जौनपुरी भी सातवें दिन ठीक उसी वक़्त मरे। हिम्मत के पिता से तो मैंने यही सुना है। वह कहते थे कि तलाक़ देने के बाद उन्होंने जो अपने आपको कमरे में बन्द किया तो फिर कमरे से उनकी लाश और एक मसनवी निकली। मेरी समझ में नहीं आता कि यदि यह सच है कि उन्होंने अपने आपको कमरे में बन्द कर लिया था तो फिर यह कैसे कहा जा सकता है कि वह ठीक उसी

समय पर मरे। उस्ताद कल्लू का कहना था कि : "साला अपने इश्क़ का रंग ज़माने को ठीक उसी दिन और उसी वक़्त मर गया।"

वह उसी समय मरे हों या न मरे हों परन्तु इसमें कोई शक नहीं कि वह भी उसी दिन मरे जिस दिन बेगम मरीं। दोनों बड़े इमामबाड़े के क़ब्रिस्तान में दफ़न किए गए। दोनों ही की क़ब्र का कोई निशान मौजूद नहीं है।

यह बड़े आश्चर्य की बात है कि मनुष्य की जीवन-कथा उसके जन्म से बहुत पहले शुरू हो जाती है। कभी-कभी तो किसी जीवन-कथा का सिरा पकड़ने के लिए सदियों को पार करते हुए इतिहास के उस पार भी जाना पड़ सकता है। ईमान की बात यह है कि व्यक्ति की जीवन-कथा वहीं से शुरू होती है जहाँ उसके बुज़ुर्गों में से किसी ने झुककर ज़मीन से पत्थर उठाया था और वह भी कोई अहराम या साँची का स्तूप या सोमनाथ का मन्दिर या ताजमहल बनाने के लिए नहीं बल्कि अपने बचाव के लिए। उस दिन से आज तक मनुष्य अपने बचाव की लड़ाई लड़ रहा है। परन्तु यदि कहानियाँ वहाँ से शुरू की जाएँ तो कभी समाप्त ही न हों। यह कहानी शहरों, देहातों और देशों के पन्नों पर घरों की क़लम से बराबर लिखी जा रही है और रोशनाई की जगह सपनों का ख़ून ख़र्च हो रहा है। तभी तो मनुष्य इतने सपने देखता है। अगर वह सपने देखना छोड़ दे तो यह रोशनाई कम पड़ जाएगी और मनुष्य के जीवन का महान महाकाव्य अनकहा रह जाएगा।

बस परेशानी यह है कि जीवन की लिपि पढ़नी नहीं आती हम लोगों को, और इसीलिए हम लोग यह सोचकर रह जाते हैं कि कल वह मर गया। बेचारा शरीफ़ आदमी था। कोई यह नहीं सोचता कि बचाव के संघर्ष में एक सिपाही काम आ गया। यदि हममें यह चेतना होती तो मैं यह कहानी श्री 'दिलगीर' जौनपुरी से शुरू न करता। परन्तु हो सकता है कि यदि 'दिलगीर' जौनपुरी ने बेगम से इश्क़ करके उसे अपनी बेगम न

बनाया होता और फिर उसे तलाक़ न दी होती या तलाक़ दी होती और पहलवान 'आरज़ू' जौनपुरी भी अपने बड़े भाई और बहनों की तरह चुप रह गए होते तो श्री हिम्मत जौनपुरी की कहानी कुछ और रही होती। 'हो सकता है'—इन तीन सड़े-गले शब्दों का मेल कितना अजीब है। यह हर संकट में मनुष्य को ख़ुश कर सकता है। सच पूछिए तो मनुष्य इसी 'हो सकता है' और 'यदि' तथा 'लेकिन' और 'शायद' जैसे शब्दों के सहारे जी रहा है वरना वह अब तक मर-खप चुका होता और समय के बड़े इमामबाड़े में दफ़न हो चुका होता और उसकी क़ब्र का निशान भी मिट चुका होता।

परन्तु हिम्मत जौनपुरी ने इन शब्दों का सहारा लेने में देर कर दी और इसीलिए वह बहुत जल्दी मर गए। वह दुनिया के तमाम शरीफ़ लोगों की तरह पैदाइशी मूर्ख थे। इसीलिए न वह कोई मसनवी लिख सके और न अपने दादा श्री 'आरज़ू' जौनपुरी की तरह कुश्ती का कोई दाँव ही ईजाद कर सके। वह तो जीवन-भर उन दीमकों से लड़ते रहे जो उनके बड़े दादाजान यानी श्री सुबहान अल्लाह 'बर्क़' जौनपुरी की दोनों मसनवियों यानी 'मसनवी दर्दे-नव-बहार यानी क़िस्सये रामो-सीता' और 'मसनवी गौहरे-आबदार यानी करबला-कथा' के साथ उनके व्यक्तित्व को भी चाटे जा रहे थे। लेकिन इस दर्द को समझने के लिए हमें उस्ताद 'आरज़ू' जौनपुरी के जीवन में झाँकना पड़ेगा।

यह तो मैं आपको बता ही चुका हूँ कि 'आरज़ू' जौनपुरी अपनी माँ बेगम के साथ घर से चले गए। किन्तु हिम्मत जौनपुरी की कहानी का सिरा पकड़ने के लिए हमें 'आरज़ू' जौनपुरी के जीवन को ज़रा और पीछे से पकड़ना पड़ेगा।

'दिलगीर' जौनपुरी को अपनी ससुरालवालों से बड़ी नफ़रत थी। जब वह अपनी बीवी को मायके जाने की इजाज़त नहीं देते थे तो वह भला इसे कैसे पसन्द करते कि उनकी औलाद ननिहालवालों से मिले।

परन्तु 'आरज़ू' जौनपुरी छिप-छिपाकर एक-आध चक्कर लगा ही आया करते थे। सय्यदवाड़े से बीवी-का-पालना है ही कितनी दूर!

सय्यदवाड़ा एक मोहल्ले का नाम है जिसमें शायद कभी कोई सय्यद नहीं रहा। आजकल तो इस मोहल्ले में जुलाहे, मीरासी और दो-एक ख़ान साहेबान रहते हैं। इस मोहल्ले में जौनपुरियों का यह घराना अकेला शेख़ घराना है। बहरहाल सय्यद रहें या न रहें, मोहल्ले का नाम सय्यदवाड़ा ही है और अब तक वहाँ के जुलाहों ने उसका नाम बदलकर 'जुलाहापट्टी' या 'अंसारी नगर' रखने की कोई कोशिश नहीं की है। इसी तरह मीरासियों ने भी इसे 'गीतपुरा' या 'कूचये सारंगी-नवाज़ाँ' कहने की कभी बात नहीं की। नाम बदलने की हवा अब तक ग़ाज़ीपुर नहीं पहुँची है। वहाँ एक और मोहल्ला है जो 'मीर का मोहल्ला' कहा जाता है। उसका पूरा नाम तो मोहल्ला मीर अशरफ़ अली है, परन्तु इतना बड़ा नाम कौन ले। इसलिए अशरफ़ अली ग़ायब हो गया और केवल 'मीर' रह गया। कोई मीर अशरफ़ अली ज़रूर रहे होंगे, लेकिन मैंने जब से होश सँभाला है वहाँ किसी सय्यद ख़ानदान को आबाद नहीं देखा है। सम्भव है कि यह मीर अशरफ़ अली कोई बड़े आदमी न रहे हों। और यह भी हो सकता है कि सय्यदवाड़े ने मीर के मोहल्ले की तरह सय्यद नाम के किसी आदमी से अपना नाम पाया हो। मोहल्ले को नाम देने के लिए आदमी को बड़ा होना ज़रूरी नहीं है। कम-से-कम ग़ाज़ीपुर में तो मैंने यही देखा है। मेरे मकान के बाईं तरफ़ मिरज़ा गफ़्फ़ार साहब के मकान से मिला हुआ जो चौराहा है वह रहीम उस्ताद का चौराहा कहा जाता है। हालाँकि इस चौराहे से मिला हुआ वह मकान है जिसमें साढ़े चार सौ वोटर रहते हैं। मकान क्या है, एक पूरा मोहल्ला है जिसमें एक ख़ानदान अपने नौकर-चाकर समेत रहता है। ग़ाज़ीपुर में कई कोठियाँ नहीं। शाहबद्रे-आलम की कोठी है। अफ़ीम की कोठी है। गोरे दादा की पीली कोठी है...। परन्तु यही अकेला मकान ऐसा है जो केवल 'कोठी' कहा जाता है। न कोठी

के आगे कुछ और न कोठी के पीछे कुछ। केवल कोठी। कोई यदि यह कहे कि वह कोठी गया था तो शहर का हर आदमी समझ जाएगा कि वह किस घर की बात कर रहा है। यह कोठी हाजी बशीर अहमद ख़ाँ की है जो हमारे ज़िले के सबसे बड़े ज़मींदार थे और शायद सत्तर हज़ार मालगुज़ारी दिया करते थे। यह कोठी भी उसी चौराहे पर है। इसके एक रुख़ पर सामने हमारा मकान है और दूसरे रुख़ पर सामने रहीम उस्ताद का कच्चा खपरैल वाला मकान हुआ करता था। अब तो वहाँ मोही पहलवान का पक्का दो-मंज़िला मकान बन गया है। कहने का मतलब यह है कि कोठीवाले हाजी बशीर अहमद ख़ाँ साहब का नाम चौराहे को नहीं भाया। उसे तो कच्चे खपरैलवाले घर में रहनेवाले रहीम उस्ताद ही का नाम पसन्द आया जो कुश्ती लड़ते थे और जब बूढ़े हो गए तो शाम के वक़्त अपने घर के सामनेवाली खंबिया में सीख-कबाबों की दुकान लगाने लगे। शाम होते ही सामने सड़क पर लोहे की पत्तियों की छोटी-मोटी मोढ़ियें बिछा दी जातीं। लोग आने लगते और सीखें उतरवा-उतरवाकर कबाब खाने लगते। उस्ताद रहीम उन्हें यहाँ-वहाँ के अखाड़ों और पहलवानों तथा कुश्तियों की बातें सुनाते रहते और कबाब बेचते रहते, और मोहल्ले के लड़कों को गालियाँ देते रहते और टपकन खिलाते रहते। नाग पंचमी के दिन उनके अखाड़ेवाले गाजे-बाजे के साथ बीबी-के-पालने से आते। उन्हें एक नया साफ़ा बाँधते और जुलूस बनाकर उन्हें बीबी-के-पालने ले जाते जहाँ उनका अखाड़ा था। उस्ताद को मरे एक ज़माना हो गया। कबाब की वह दुकान और उसके साथ लोहे की पत्तियों की मोढ़ियों पर जमनेवाली महफ़िल उखड़ गई। उस्ताद के घर को उनके एक शागिर्द मोही पहलवान ने ख़रीद लिया जो रँगरेज़ है। पहले जहाँ उस्ताद का घर था वहाँ अब मोही पहलवान का पक्का दो-मंज़िला मकान खड़ा है। परन्तु चौराहा अब भी रहीम उस्ताद ही का है। नाग पंचमी के दिन शायद अब भी जुलूस आता है और मोही पहलवान को ले जाता है। लोग रहीम

उस्ताद को भूल चुके हैं परन्तु इस चौराहे को उनका नाम अब भी याद है। वह चौराहा न शहर के सबसे रईस हाजी बशीर अहमद ख़ाँ का हुआ और न शहर के सबसे बड़े वकील सय्यद बशीर हसन आब्दी का। वह चौराहा उसी गुमनाम पहलवान का रहा जिसका नाम अब शहरवालों को भी याद नहीं है। बीबी-के-पालने के अखाड़ेवाले भी उस्ताद रहीम को भूल चुके हैं। यह अखाड़ा बीबी-के-पालने के इमामबाड़े के बीच आँगन में है। इमामबाड़ा क्या है लखौरी ईंटों की चारदीवारों से घिरा हुआ एक कच्चा आँगन है जिसके एक तरफ़ लखौरी ईंटों ही का बना हुआ इमाम चौक है, जिस पर मुहर्रम की चाँद रात को बीबी-का-पालना रख दिया जाता है। लकड़ी के इस ताज़िये ही के नाम पर इस मोहल्ले का नाम पड़ गया है। शायद ही दुनिया में कहीं कोई ऐसा मोहल्ला हो जिसका नाम ताज़िये पर रक्खा गया हो! यह ताज़िया सोने-चाँदी का भी नहीं है। किसी राजा या नव्वाब का भी नहीं है। यह किसी बेनाम ताज़ियेदार का ताज़िया है। बस इस मोहल्ले का यही नाम पड़ गया। एक तरह से यह दुनिया का सबसे बड़ा ताज़िया हो गया। वाजिद अली शाह के किसी ताज़िये के नाम पर लखनऊ के किसी मोहल्ले का नाम नहीं पड़ा। राजा ग्वालियर के प्रसिद्ध ताज़िये के नाम पर भी ग्वालियर में कोई मोहल्ला नहीं है। लेकिन ग़ाज़ीपुर के एक मामूली लकड़ी के ताज़िये के नाम पर एक पूरा मोहल्ला आबाद है।

हिम्मत जौनपुरी की परदादी मुसम्मात बेगम बीबी इसी मोहल्ले की रहनेवाली थीं। बेगम नीच जात की पहली औरत है जो बीबी कही गई। हो सकता है कि यह ताज़िया बेगम से बहुत पहले उसी प्रकार की किसी बीबी ही ने रक्खा हो। हमें उस ताज़िये के इतिहास से क्या ग़रज़। हमारे लिए तो इतना भी काफ़ी है बीबी-के-पालने ही में बेगम का घर था।

बेगम का बाप जान मोहम्मद गदह-लद था। बेगम के सिवा उसके घर में तीन बेटियाँ और थीं। बुतूल, आयशा और ख़दीजा। बुतूल बतुल्नी

कही गई। आयशा ऐसय्या हो गई और ख़दीजा ख़तीजीया उर्फ़ कुदनीया हो गई। बात ये है कि यही नाम शरीफ़ घरानों में भी रखे जाते हैं। इसलिए नीच घरों में यदि ये नाम बिगाड़ न दिए जाएँ तो शरीफ़ लोगों को रखने के लिए नाम ही न मिलें। इसीलिए अब्दुल हसन, अब्बुल हो जाता है और मोहम्मद हुसैन, मसेन। मसेन पर याद आया कि ख़दीजा उर्फ़ ख़तीजीया उर्फ़ कुदनीया के मियाँ का नाम मसेन ही था। मसेन टेलर मास्टर का बोर्ड आज भी सट्टी मसजिद की एक दुकान पर देखा जा सकता है, हालाँकि उस दुकान में अब उसका एक पोता बैठता है। पोते का नाम अब्दुल वहाब है और वह अब्बुल कहा जाता है। परन्तु चूँकि मसेन अपने ज़माने का मशहूर दरज़ी था और उसके गाहकों के ख़ानदानवाले अब तक उसी दुकान पर आते हैं इसलिए अब्बुल ने मसेन टेलर मास्टर का बोर्ड नहीं उतारा है। हाँ, दुकान में भाँति-भाँति के वस्त्र पहननेवाले जिन भाँति-भाँति के नकली लोगों की तस्वीरें टँगी हुई हैं, वे मसेन के ज़माने में नहीं थीं। तब के दरज़ी तस्वीरों से ज़्यादा टाँकों पर ज़ोर दिया करते थे। कहने का मतलब यह है कि जान मोहम्मद गदह-लद का छोटा दामाद यानी श्री 'दिलगीर' जौनपुरी का छोटा साढ़ू मसेन दरज़ी था। और शहर के तमाम रईस और शौक़ीन-मिज़ाज लोग और सरकारी नौकर तथा अलीगढ़ कालिज में पढ़नेवाले तमाम लड़के उसी से कपड़े सिलवाते थे क्योंकि उसका बाप ग़फ़ूर एक साहब का बावरची रह चुका था। वह जब एक बार छुट्टी लेकर विलायत गए तो ग़फ़ूर भी साथ गया। मिसी बाबा ने बहुत ज़िद की तो साहब मसेन को भी साथ लेते गए। मसेन ने वहाँ से लौटते ही यह दुकान खोल ली। कोई गाहक कहीं झोल दिखाता तो मसेन मुस्कराता और कहता : "भय्या लोगन की बात! हम बाश्शाहो सलामत के दरज़ी को कपड़ा सीते देखा है। हुआँ त इ झोल का फैशन चल गया है।" अब कोई गाहक क्या कह सकता था। नतीजा यह हुआ कि 'पालने' के सामने जो एक घूरा पड़ा हुआ था उस पर धीरे-धीरे एक

पक्के मकान की कोंपल फूटी और फिर एक छतनार पेड़ की तरह वह मकान खड़ा हो गया। शरीफ़ लोगों ने दाँतों में उँगली दबा ली क्योंकि उनमें से कोई ऐसा मकान नहीं बनवा सकता था। उसका काम इतना बढ़ गया था कि आठ दरज़ी दिन-रात काम करते थे। बात यह है कि उसकी शोहरत बलिया, आज़मगढ़, जौनपुर और मिरज़ापुर तक पहुँच गई थी। वहाँ के बड़े लोग भी मसेन ही से कपड़े सिलवाते थे। एक बार तो पटने के नवाब के बड़े बेटे की शादी की अचकन पटने से चलकर मसेन के घर आई। सारे शहर की गरदन ग़रूर से अकड़ गई : "साहब, दरज़ी हो तो ऐसा हो। पटने के नवाब ने बुलवाया। मगर इसने साफ इनकार कर दिया। और साहब, बड़े आदमियों की बड़ी बात होती है। इहे लोग फ़न की क़दरदानी नहीं करेंगे तो अउर कउन करीहे। वजीरे आला को भेज दिहिन कि जाओ और शेरवानी सिलवा लीआओ।" मज़े की बात यह है कि उस अचकन की एक शिकन को भी बाशा सलामत के दरज़ी का हवाला देकर मसेन ने नवाब पटना के 'वजीर' का मुँह बन्द कर दिया। अब ज़ाहिर है कि जिसके यहाँ नवाब पटना के बेटे की अचकन सिलने के लिए आती हो उसके यहाँ यदि आठ दरज़ी काम न करेंगे तो काम कैसे चलेगा। सट्टी मसजिद की एक दरी दुकान में तो आठ दरज़ी काम कर नहीं सकते थे और मसेन उस दुकान को छोड़ना नहीं चाहता था। तो उसने अपना कारखाना नए घर में खोल लिया। फिर 'मसेन टेलर्ज़' की एक शाखा बनारस में खुली। फिर इलाहाबाद, लखनऊ, कानपुर और फिर दिल्ली में भी खुल गई। हर शाखा पर मसेन का बेटा या दामाद जम गया, और पालने के सामनेवाले मकान पर हुनर बरसने लगा। परन्तु मसेन टेलर का एक दामाद बड़ा नालायक़ निकला। उसका नाम 'आरज़ू' जौनपुरी था।

हुआ यह कि मसेन टेलर की नवीं लड़की सकीना उर्फ़ सुक्कन पर 'आरज़ू' जौनपुरी आशिक़ हो गए और इसीलिए वह आँख बचाकर

पालने का एक चक्कर मार आया करते थे। 'आरज़ू' साहब को यह नहीं मालूम था कि वह सुक्कन पर आशिक़ कब हुए। वह तो बचपन की किसी गुमनाम घड़ी में उस पर मर मिटे थे। उस रात को वह उन्हें बड़ी ख़ूबसूरत लगी थी और उसी रात को एक और लौंडे ने उन्हें सुक्कन ही के लिए जी लगाकर ठोंक भी दिया था। इसी पिटाई ने तो उन्हें आगे चलकर पहलवान बना दिया।

उस रात जान मोहम्मद गदह-लद के घर बड़ी रौनक़ थी। किसी नवासी की शादी थी। बेगम ने दिलगीर साहब से यह कहा था कि वह 'आसी' साहब के उर्स में जा रही हैं। उन्हें यक़ीन था कि दिलगीर साहब को पता नहीं चल सकता। एक ही शहर में होने के बाद भी 'दिलगीर' साहब और जान मोहम्मद के घरों के बीच में एक दुनिया थी। न दिलगीर साहब की दुनिया का कोई आदमी जान मोहम्मद की दुनिया में जाता था और न जान मोहम्मद की दुनिया का कोई आदमी दिलगीर साहब की दुनिया में। इसीलिए बेगम किसी मज़ार या किसी मौलूद या मजलिस का बहाना करके अपने घर आती-जाती रही थीं। परन्तु वह बच्चों को कभी नहीं ले जाती थीं। एक दिन 'आरज़ू' चुपके से साथ लग लिया। जान मोहम्मद के आँगन में एकदम से जो बेगम ने आरज़ू को देखा तो उनका दिल धक से हो गया। लेकिन अब वह कर ही क्या सकती थीं? उधर आरज़ू ने सुक्कन को देख लिया। वह उस समय बहुत बनी-सँवरी हुई थी।

गहरा साँवला रंग। धुले हुए नैन-सुख की तरह बड़ी-बड़ी उजली चमकदार आँखें, ग़लते[1] के हरे उरेबी पाजामे पर लाल पोथ की क़मीज़, हरी घास[2] की चुनी हुई ओढ़नी से छिपी हुई। नाक में सोने की बुलाक़। कलाइयों में सुनहरे कामवाली काँच की बारीक़ चूड़ियाँ। गले में चाँदी

1. अतलस।
2. एक महीन कपड़ा।

की एक नक़्शीन हैकल और सोने की धुकधुकी। कान में सुनहरी पात-बलियाँ और टखनों में चाँदी के छड़े।

यह थी सात-साढ़े सात बरस की वह सुक्कन जो बड़ी होने पर अपनी ख़ाला बेगम की तरह सकीना बीबी कही गई।

सुक्कन को उस कच्ची उम्र में भी अपने हसीन होने का यक़ीन था। वह बच्चियों की तरह चौकड़ियाँ नहीं भरती थी, बल्कि बहुत सँभल-सँभलकर चलती थी। 'आरजू' को उसने बड़ी हिक़ारत से देखा। परन्तु 'आरजू' ने बुरा नहीं माना। वह उसके साथ-साथ लगा रहा। एक और लड़का भी उसका पीछा कर रहा था। वह क़द, बदन और उम्र में 'आरजू' से बड़ा था। सुक्कन उसकी भी कोई नोटिस नहीं ले रही थी तो उसने झल्लाकर सुक्कन की चुटिया खेंच ली। सुक्कन चीख़कर मुड़ी और उसने उस लड़के के मुँह पर एक थप्पड़ जड़ दिया। उसने भी दो हाथ जमा दिए। 'आरजू' से यह न देखा गया। बस उन्होंने आव देखा न ताव और उस लड़के पर पिल पड़े। उस लड़के ने इन्हें बड़ी कर्री ठुकाई लगाई। इनकी नई क़मीज़ फट गई। दाँत होंठ में घुस गया। तरतराके जो ख़ून बहा तो सुक्कन डरकर रोने लगी। एक अच्छी-खासी मुस्टंडी औरत ने उस लड़के को मारना शुरू किया :

"माटी मिले। मरकिन उने। तोहरा हाथ अब बहुत चले लगा है। मैं चट देना तोड़ के फेंक दी हों। ख़बरदार जो अब तूँ केहूके छेड्यो।..."

फ़त्ते उर्फ़ फ़तह मोहम्मद गरदन डाले मार खाता रहा। बाद में यही फ़त्ते बड़ा होकर फ़त्ते ख़ाँ पहलवान बना और उस्ताद कल्लू को बचाने के लिए उस्ताद अल्लारक्खा ने गुलाबो की शादी इसी से की। एक नागपंचमी के दिन इसी फ़त्ते ख़ाँ को पछाड़ने पर बेगम और 'दिलगीर' साहब में बात बढ़ गई थी और तलाक़ा-तलाक़ी की नौबत आ गई थी।

परन्तु जिस दिन 'आरज़ू' ने सुक्कन को पहली बार देखा था और फत्ते से पिटे थे, उस दिन 'आरज़ू' को ये तमाम बातें मालूम नहीं थीं। यदि 'आरज़ू' को यह मालूम रहा होता कि आज वह अपनी माँ को तलाक़ दिलवाने का काम शुरू कर रहे हैं तो शायद वह सुक्कन की तरफ़ देखते भी नहीं क्योंकि उन्हें बेगम बी से बड़ा प्यार था।

यह बताना तो मैं भूल ही गया कि अपने घर में बेगम, बेगम बी कही जाती थीं। 'दिलगीर' साहब उसे बेगम बी पुकारते थे। नौकर-चाकर भी उसे बेगम बी पुकारते थे। इसलिए ख़ुद उसके बच्चे भी उसे बेगम बी ही पुकारने लगे थे।

"तूँ लड़े के वास्ते आए रह्यो का? ऐं?" बेगम बी ने पूछा।

"बेगम बी वह उस लड़की को मार रहा था," आरज़ू ने कहा।

"अच्छा तूँ अपने बाप की बोली त हियाँ बोला मत," बेगम बी ने कहा। "अउर जेको तूँ लड़की कह रह्यो ऊ लड़की ना है। तोरी सगी खुलेरी बहिन है।"

"बहुत अच्छी है।"

तमाम औरतें हँस पड़ीं। आरज़ू हक्के-बक्के खड़े रह गए कि आख़िर इसमें हँसने की बात क्या है। तब बेगम बी ने उन्हें लिपटाकर प्यार कर लिया। बेगम बी इस पेट-पोंछने को बहुत चाहती थीं। वह उनके बेटे-बेटियों में सबसे ख़ूबसूरत भी था। बचपन में भी उसकी आँखें बेगम बी की आँखों के बराबर थीं ओर रंग जैसे शहद में गूँधा हुआ मैदा। जिल्द माँ की लोरी की तरह नर्म जिस पर से फिसलकर नींद आँखों में आ जाती है। बेगम बी अक्सर सोचा करती थी कि आरज़ू बेटी रहा होता तो कितना अच्छा हुआ होता! लड़के को अइसी सूरत देके अल्लाह मियाँ सूरत को ज़ाया कर दिहिन हैं।

"सुक्कन से तोरा बिआह कर दें?" एक औरत ने पूछा। बाद में पता चला कि वह मसेन की बीवी, सुक्कन की माँ, बेगम बी की बहन

और उसकी ख़ाला कुद्दन उर्ज़ ख़दीजा थी। उस वक़्त आरजू की समझ में यह नहीं आया कि एक ही औरत एक ही वक़्त में किसी की बीवी, किसी की माँ, किसी की बहन और किसी की ख़ाला होने के साथ-साथ कुद्दन भी कैसे हो सकती है। सब उसे आरजू पुकारते हैं इसलिए उसे मालूम है कि उसका नाम आरजू है। बेगम बी को सब बेगम बी कहते हैं। मियाँ (दिलगीर साहब) को सब मियाँ कहते हैं। लेकिन इस औरत को इतने सारे नाम कैसे याद रहते होंगे। मसेन इसे बीवी कहता होगा तो यह उस नाम पर बोलती होगी। बेगम बी आपा कहती हैं तो यह बोलती है। मैं ख़ाला कहूँगा तब यह बोलेगी?

"ख़ाला!" उसने कुद्दन की तरफ़ कनखियों से देखते हुए कहा। उसे यक़ीन नहीं था कि इस नाम पर भी वह बोल पड़ेगी। परन्तु कुद्दन ने तो ग़ज़ब कर दिया। उसने झपट्टा मार के उसे अपनी गोद में भर लिया। वह उसे चटाचट प्यार करने लगी। आरजू बेदम हो गया और अपने गालों पर से उस अजनबी औरत के प्यार पोंछने लगा जो ब-यक-वक़्त किसी मसेन की बीवी और इस सामनेवाली ख़ूबसूरत सुक्कन की माँ और बेगम बी की बहन और उसकी ख़ाला थी।

और यह देखकर तो वह बिलकुल ही घबरा गया कि सुक्कन की माँ रो रही है। वह हैरान था कि इसे तो किसी ने मारा-वारा भी नहीं है फिर यह रो क्यों रही है।

ए रे बने की छोटी बहिनिया
माँगे पाँच रुपय्या

मीरासने गा रही थीं। परन्तु आरजू के पास यह सोचने का समय नहीं था कि दूल्हे की छोटी बहन पाँच रुपये क्यों माँग रही है। वैसे उसे उसका पाँच रुपये माँगना अच्छा नहीं लगा क्योंकि मियाँ ने उसे यह बताया था कि माँगना अच्छी बात नहीं है। मगर जब तमाम औरतें अच्छे-अच्छे

कपड़े पहने ख़ुश दिखाई दे रही हैं तो यह सुक्कन की माँ रो क्यों रही है। इसके कपड़े तो सबसे अच्छे हैं। बेगम बी से भी अच्छे हैं! उसके लिए यह अच्छाई की मेराज थी कि किसी की कोई चीज़ बेगम बी की किसी चीज़ से अच्छी है।

"तुम्हारी अम्माँ रो क्यों रही हैं?" उसने सुक्कन से पूछा।

"का जाने काहे रो रहीं," सुक्कन बोली, "तोरा चुम्मा कड़ुआ रहा होइहे।"

औरतें फिर हँस पड़ीं। सुक्कन भी हँस पड़ी। और सुक्कन की माँ ने फिर उस पर झपट्टा मारा :

"अरे मोरे लाल। तूँ आज पहली दफ़े हम्में ख़ाला कहे हो ना ए ही मारे हम रोये लगे।"

"तो आप न रोइए। अब मैं आपको ख़ाला नहीं कहूँगा।"

यह सुनकर सुक्कन की माँ खिलखिलाके हँस दी। आरज़ू की समझ में यह बात आ गई कि वह उसके ख़ाला कहने ही पर रोई थी। इसके बाद कुद्दन जब तक ज़िन्दा रही आरजू के लिए सुक्कन की माँ रही। उन्होंने फिर कभी कुद्दन को ख़ाला न कहा। बड़े होने के बाद जब उनकी समझ में यह बात आ गई कि उस रात शादी के भरे घर में वह ख़ाला कहने पर क्यों रो पड़ी थी तब भी उन्होंने उसे ख़ाला न कहा। वह उसे सुक्कन की अम्माँ ही कहते रहे। फिर कुद्दन को भी इसी की आदत पड़ गई।

उस रात वापसी में बेगम बी ने उन्हें कुछ ऐसी बातें बताईं जो उन्हें मालूम नहीं थीं। उन्हें पहली बार मालूम हुआ कि एक चीज़ ननिहाल भी होती है। यह सुनकर उन्होंने बेगम बी से कहा कि उन्हें अपनी ननिहाल बहुत अच्छी लगी और यह कि सुक्कन तो बहुत ही पसन्द आई और यह कि बड़े होते ही वह सुक्कन से ब्याह कर लेंगे। यह सुनकर बेगम बी का दिल धक से हो गया। जी धक से कर लेने में बेगम बी का जवाब

नहीं था। और जब उनका दिल धक से हुआ करता था तो वह और भी सुंदर दिखाई देने लगती थीं। उस समय आरज़ू का जी चाहा करता था कि वह उन्हें उठाकर अपने दिल में छिपा ले।

"मियाँ के सामने ई बात मुँह से मत निकलिहो बेटा," बेगम बी ने कहा, "ऊ तोरे ननिहाल बालन से ख़ुश ना हैं। जो ऊ इ सुनो लिहिन कि तूँ ननिहाल गए रह्यो त तूहें मरबो करिहैं अउर हम्में जी लगा के डँटबो करिहैं।"

इसलिए 'आरज़ू' जौनपुरी यानी शेख़ बरकतुल्ला ग़ाज़ीपुरी ने मियाँ को यह बात नहीं बताई कि वह ननिहाल हो आए हैं। और जब उन्होंने यही न बताया तो भला वह यह क्यों बताते कि सुक्कन उन्हें पसन्द आई है। इसीलिए 'दिलगीर' जौनपुरी की 'मसनवी दरबयाने-इश्क़े रामो-सीता' के 'दरबयाने-बेगम' वाले हिस्से में इन बातों का ज़िक्र नहीं है। ये बातें तो मुझे कल्लू उस्ताद से मालूम हुई हैं जो 'आरज़ू' जौनपुरी के मित्र थे।

'आरज़ू' साहब छिप-छिपाकर मसेन टेलर के घर जाने लगे। और इसी आने-जाने में वह एक दिन जवान हो गए। उन्हें तो शायद अपनी जवानी और सुक्कन से अपने प्यार का पता ही न चलता अगर एक दिन सुक्कन की माँ ने (शायद उनका दिल टटोलने के लिए) उनसे यह न कहा होता कि सुक्कन अब माशाअल्लाह से जवान हो गई है और उसके अब्बा को उसके ब्याह की फ़िक्र खाए जा रही है। उस दिन मियाँ का रक्खा हुआ तख़ल्लुस काम आते-आते रह गया। आरज़ू पहलवान ने महसूस किया कि जैसे उनकी रगों में ख़ून की जगह एक बेनाम-सी उदासी दौड़ रही है और सुक्कन की ख़ूबसूरत आँखें झाड़ की तरह उनके दिमाग़ में लटक रही हैं और उसका ख़ूबसूरत साँवला नर्म बदन पशमीने की एक शॉल की तरह उनके व्यक्तित्व पर पड़ा हुआ है तथा उसकी उजली मुस्कान की परछाईं उनके दिल के किवाड़ों पर नाच रही है...उन्होंने इस

प्रकार की हज़ारों बातें महसूस की लेकिन वह अपने बाप-दादा की तरह कोई मसनवी, क़सीदा या ग़ज़ल न लिख सके। सरस्वती उनके दिल पर दस्तक देकर लौट गई क्योंकि उनकी आत्मा उस्ताद अल्लारक्खा के अखाड़े के दाँवपेच से मसेन और मियाँ दोनों को चित्त करने की बातें सोच रही थी। यदि ऐसा न हुआ होता तो उस रात 'मसनवी दरबयाने-सुक्कन यानी अहवाले-हिज्रो-विसाल' अवश्य शुरू हो गई होती। परन्तु वह अवसर गुज़र गया और फिर कभी वह शेर कहने के मूड में न आए और उन्होंने बाक़ी ज़िन्दगी कुश्ती लड़ने में गुज़ार दी।

परन्तु इस ख़बर से आरजू साहब में एक परिवर्तन हुआ और यह परिवर्तन न मियाँ से छिपा रह सका और न बेगम से। बेगम बी कई दिन तक उधेड़बुन में रहीं। उन्हें खटका तो पहले ही से था। कई दिन तक हौल ख़ाने के बाद एक दिन इधर-उधर देखकर आरजू से बोलीं :

"ए बेटा ई तुहें का हो गवा है। ऐं?"

"परसों रात ज़रा नज़ला हो गया था," आरजू ने कहा।

"मैं नज़ले की बात ना कर रह्यूँ।"

"जी हाँ, वह तो परसों हुआ था।"

"तू सुक्कन के बिआह की बात सुनके परेशान है?" बेगम बी ने कहा। "बाक़ी ई बिआह ना हो सकता बेटा।"

"क्यों नहीं हो सकता बेगम बी।"

"मियाँ ना मनिहें।"

"काहे ना मनिहें?" वह झल्ला गया। वह जब भी झल्लाता था तब अपनी माँ की भाषा बोलने लगता था। क्रोध में उसे वह पढ़ी हुई भाषा याद ही नहीं रहती जो उसके घर में बोली जाती थी।

"मियाँ भला मसेन दरज़ी को समधी बनैहें? ई ना हो सकता बेटा।"

"बिआह के मामले में ऊहो अपने बाप की बात ना मानिन रहा। बिआह के मामले में हमहूँ अपने बाप की बात ना मानेंगे।"

बेगम बी सन्नाटे में आ गईं। उनके चेहरे की झुर्रियाँ और गहरी हो गईं और उनकी ख़ूबसूरत आँखों की बेदाग़ सफ़ेदी और स्याही में उदासी का रंग मिल गया। वह चुप हो गईं, क्योंकि वह मियाँ को भी जानती थीं और अपने बेटे को भी जिसे वह बरकतवा पुकारना चाहती थीं लेकिन आरजू कहने पर मजबूर थीं।

फिर वही हुआ जिसका डर था।

'दरबयाने-बेगम' में ये बातें बड़ी तफ़सील से बयान की गई हैं। हुआ यह कि उधर मसेन को सुक्कन की फ़िक्र हुई तो यहाँ दिलगीर साहब को 'आरजू' जौनपुरी के ब्याह का ख़याल आया। आरजू शायर नहीं थे तो क्या; आरजू नालायक़ थे तो क्या; आरजू पहलवान थे तो क्या—थे तो उनके बेटे और हर बाप की तरह वह भी चाहते थे कि उनके बेटे का घर बस जाए। बेटे का घर बसाने के बाद बाप की मौत शायद आसान हो जाती है। इसलिए अंबारी के शेख़ तसद्दुक हुसैन की इकलौती बेटी उम्मेद सलमा से उन्होंने आरजू की बात पक्की कर दी।

सलमा माना कि साँवली है।
आँखें उसकी मगर बड़ी-बड़ी हैं॥
सुग्घड़ है वफ़ा शेआर है वह।
एक सनअते-किरदेगार है वह॥
ख़ूशबू है, शगूफ़ा है, सवा है।
लड़की नहीं, क़ुदरते-ख़ुदा है॥
समधी दिलवाले ठाठदार भी हैं।
अच्छे खासे ज़मीनदार भी, हैं॥

(पहला मिसरा याद नहीं आ रहा है)

लड़की ही नहीं जहेज़ भी है।
भाई से सुनी यह बात जिस दम।

हत्थे से उखड़ गया वो बूदम।
सलमा से न बाँध खामखाँ मुझको।
सुक्कन से करूँगा ब्याह मैं तो।
मुझ तक ये ख़बर जो बर्क़ लाया।*
पास उसको उसी घड़ी बुलाया॥
कुरसी पे बिठाया खींच उसको।
समझाया जो ऊँच नीच उसको॥
बोला हैं वो किस जगह की रानी।
बेगम बी भी तो नहीं शेख़ानी॥

यह बात ख़ुद आरजू साहब मानते हैं कि उन्हें यूँ बेगम बी का हवाला नहीं देना चाहिए था। परन्तु आरजू साहब भी क्या करते। सुक्कन केवल मसेन टेलर की बेटी ही नहीं थी, वह उनकी महबूबा भी थी। 'दरबयाने-बेगम' में दिलगीर साहब, कहते हैं कि यह सुनकर वह चुप हो गए। बेगम वाकई सैदानी नहीं थीं। आरजू से यह बात सुनने के बाद उन्हें पता चला कि बेगम बी से ब्याह कर लेने के बाद भी उन्हें अपनी हड्डी से प्यार था। उस्ताद कल्लू के ख़याल में तो तलाक़ की असली वजह यही थी। आरजू की कुश्ती तो केवल एक बहाना बन गई थी।

परन्तु एक बात माननी पड़ेगी कि दिलगीर साहब बड़े वज़ादार और रख-रखाव वाले आदमी थे। आरजू की बात ने जो उनका मुँह बन्द कर दिया तो वह आरजू की बारात लेकर मसेन टेलर के घर गए और सुक्कन को ब्याह लाए। उन्होंने कभी सुक्कन को यह महसूस भी नहीं होने दिया कि वह इस घर के लायक नहीं है। वह हमेशा की तरह दिन में एक बार आते रहे और सुक्कन का सलाम कुबूल करके उसे जीने की दुआ भी देते रहे। जब उसके यहाँ बच्चा हुआ तो उन्होंने बड़े चाव से उसका नाम

* 'आरजू' जौनपुरी के बड़े भाई शेख़ सुबहान अल्लाह 'बर्क़' जौनपुरी

शेख़ सलामत अली रक्खा और उसके लिए 'नादिर' तख़ल्लुस तजवीज़ किया (यही शेख़ सलामत अली 'नादिर' आगे चलकर हिम्मत जौनपुरी के बाप हुए)। परन्तु उन्होंने ज़िन्दगी-भर आरज़ू से बात न की। यहाँ तक एक कमरे में सात दिन तक टहलते-टहलते किसी वक़्त वह चुपचाप मर गए। अपने मरने की बात उन्होंने 'मसनवी दरबयाने इश्क़े-रामो-सीता' के आख़िर में ख़ुद ही लिख दी थी :

ये क़िस्सा तमाम कर दिया है।
अल्लाह से अब यही दुआ है॥
आवाज़ दे अपने लामकाँ से।
चुपचाप उठा ले इस जहाँ से॥

तो उनकी मौत चुपचाप ही आई और शेख़ सुबहान अल्लाह 'बर्क़' जौनपुरी ने इस शेर की गवाही पर उन्हें वली वल्लाह बना दिया और फिर हर साल उनका उर्स होने लगा। यह उर्स आज भी होता है। और इस उर्स में शरीक़ होने के लिए दूर-दूर के दरज़ी आते हैं और शहर के गदह-लद उनका नाम लिए बिना काम पर नहीं जाते और कोई दरज़ी उनका नाम लिए बिना कोई कपड़ा नहीं तराशता। सय्यदबाड़े में गंगा के किनारे उनका बड़ा ख़ूसूरत मज़ार है जिसके सिरहाने नीम का एक पेड़ है जिसकी पत्ती बड़ों की नामर्दी से लेकर बच्चों के सूखा रोग तक का शर्तिया इलाज है। मज़ार की आमदनी से अलग उस नीम के पेड़ से भी अच्छी-खासी आमदनी हो जाती है। इसीलिए ज़मींदारी के ख़ात्मे के बाद भी 'बर्क़' जौनपुरी का परिवार ग़ाज़ीपुर में चैन कर रहा है। इसी मज़ार और नीम के पेड़ की वजह से वे लोग पाकिस्तान भी नहीं जा सके, क्योंकि ज़ाहिर है कि वहाँ जाकर वे इस मज़ार और नीम के पेड़ का क्लेम तो दाखिल कर नहीं सकते थे। यह सुना गया था एक ज़माने में कि किसी शेख़ विलायत अली जौनपुरी ने पाकिस्तान में 'मसनवी

दरबयाने इश्क़े-रामो-सीता' में से 'रामो-सीता' की कहानी निकालकर उसे 'मसनवी दरबयाने-बेगम' के नाम से छाप दिया है। और उसकी भूमिका में यह साबित कर दिया है कि 'दिलगीर जौनपुरी' का ग़ाज़ीपुर से कोई तअल्लुक नहीं था।

पता नहीं कोई उस मसनवी का उर्स करेगा या नहीं क्योंकि वह भी चुपचाप ही मर गई है।

सुक्कन ससुराल में दुल्हन बी कही गई। बेगम बी उसे सुक्कन पुकारना चाहती थीं परन्तु मियाँ की इजाज़त नहीं थी। इसलिए वह कलेजा मसोसकर रह गईं और फिर घर के तमाम लोगों की तरह बेगम बी को भी दुल्हन बी कहने की आदत हो गई। दुल्हन कहने में उन्हें कठिनाई होती थी इसलिए वह उसे दुलहिन बी कहतीं। उधर सकीना को भी इसकी इजाज़त नहीं थी कि वह बेगम बी को ख़ाला कहे। उसे भी बेगम बी कहने की आदत डालनी पड़ी। यह सब तो उसने झेल लिया, लेकिन जब उसे पता चला कि अब वह अपने बाप मसेन टेलर के घर नहीं जा सकेगी और अपनी बहनों से नहीं मिल सकेगी और अपनी भाभियों से चुहलें नहीं कर सकेगी तो उसे लगा कि वह ससुराल में नहीं बल्कि जेल में है। एक हिन्दू-मुसलमान दंगे में उसके एक फूफा को सज़ा हो गई थी। वह रुकमनी पर आशिक़ थे। रुकमनी भी उन पर आशिक़ थी। इत्तफ़ाक़ से बलवा हो गया तो उन्होंने मौक़े का फ़ायदा उठाया और रुकमनी के पति को मार डाला। परन्तु जाने क्या गड़बड़ हो गई कि धर लिए गए। उन दिनों एक ठाकुर शिवधनी सिंह शहर कोतवाल थे। ज़ाहिर है कि वह मसेन ही से कपड़े सिलवाते थे। इसके अलावा शहर के तमाम रईसों और अफ़सरों के यहाँ मसेन का आना-जाना भी था। इसलिए शिवधनी सिंह मसेन पर एहसान भी करना चाहते थे ताकि वह एस. पी. साहब से कहकर उसे

नन्दगंज या शादीआबाद, क़सिमाबाद या यूसुफ़पुर का थाना दिलवा दे। कोतवाली में तो कोई आमदनी ही नहीं थी। चुनाँचे उस ज़माने के पाँच हज़ार पर मामला तै हो गया। रुकमनी चीख़ती-चिल्लाती रह गई कि मुलज़िम ने उसके सामने उसके पति को क़त्ल किया है परन्तु रुकमनी की कौन सुनता? हाँ, यह ज़रूर हुआ कि सकीना के फूफा बेदाग़ न छूट सके। पाँच साल की सज़ा हो गई। उधर शहर के हिन्दू रईसों और व्यापारियों, वकीलों और मुखतारों तथा सदर ज़िला कांग्रेस कमेटी एवं मौलाना अबुल हसन अहरानी ने शोर करना शुरू किया कि ठाकुर शिवधनी सिंह ने घूस लेकर मुक़द्दमा ख़राब किया है तो एस. पी. मिस्टर पी. एल. स्मिथ ने उनका तबादला कर दिया और उन्हें यूसुफ़पुर थाना मिल गया। वह मसेन टेलर को दुआएँ देते यूसुफ़पुर चले गए।

सकीना के यह फूफा जब जेल से आए तो रुकमनी से ख़फ़ा आए। वह रुकमनी को भी ठिकाने लगा देना चाहते थे। परन्तु मसेन को मालूम था कि गोबरधन प्रसाद शहर कोतवाल रिश्वत नहीं लेता। इसलिए फूफा ने रुकमनी को क़त्ल करने का इरादा छोड़ दिया और बाक़ी ज़िन्दगी अपनी बीवी की ख़िदमत करने, कपड़ा सीने और अपनी जेल-यात्रा की कहानी सुनाने में गुज़ार दी।

सकीना ने उन्हीं से सुना था कि जेल बड़ी बेकार जगह होती है, लेकिन पैसा हो तो वहाँ भी हर चीज़ मिल जाती है। बीड़ी से लेकर रंडी तक किसी चीज़ की कमी नहीं है जेल में। फ़र्क़ यह है कि जेल के बाज़ार में भाव ज़रा तेज़ होता है। हाँ, एक चीज़ यहाँ किसी भाव नहीं मिलती और वह चीज़ है जानी-पहचानी सूरत। वह जानी-पहचानी सूरत के लिए तरसते रहे। और यही हाल दुल्हन बी का था। उसे हर तरह का आराम था। अच्छे से अच्छा खाती थी। अच्छे से अच्छा पहनती थी। मगर वे जानी-पहचानी सूरतें नहीं मिलती थीं जो मनुष्य के जीवन को एक अकेला अक्षर नहीं रहने देतीं बल्कि उसे एक शब्द बना देती हैं,

जिसका कोई अर्थ होता है। और जब यही शब्द दूसरे शब्दों से मिलता है तो कोई कहानी या कविता बन जाता है।

एक दिन मियाँ बहुत ख़ुश-ख़ुश घर में आए। शाम के पाँच बज रहे थे। सारा घर हैरान रह गया कि यह तो मियाँ के अन्दर आने का वक़्त नहीं है।

गर्मी के दिन थे। आँगन में छिड़काव हो चुका था और मिट्टी की सौंधी महक 'नादिर' की तरह आँगन में भागी-भागी फिर रही थी। बड़े-से आँगन में पलंग बिछे हुए थे। पाँयती बिस्तर लिपटे हुए रक्खे थे। आँगन में एक तरफ़ मौलसरी के पेड़ के नीचे एक तख़्त बिछा हुआ था। उस पर एक तरफ़ लिपटी हुई मख़मली जानमाज़ रक्खी हुई थी और उसी पर एक तरफ़ बेगम बी बैठी हुई पन्ना बना रही थीं। दुल्हन बी नादिर के कुरते का गरीबान काढ़ रही थीं और एक खुर्रे पलंग पर लेटे हुए 'आरज़ू' जौनपुरी शाह आज़ीमाबादी की एक ग़ज़ल गुनगुना रहे थे कि सदर दरवाज़े का पर्दा उठा और मियाँ आते हुए दिखाई दिए। आरज़ू हड़बड़ाकर उठ बैठे। दुल्हन बी ने जल्दी से सिर पर आँचल बराबर किया। बेगम बी भी चौंकीं। परन्तु उनके हाथ भुने हुए टिकोरों के गूदे में सने हुए थे इसलिए वह तो सिर झुकाकर फिर पन्ना बनाने में लग गईं। दुल्हन बी ने झुककर ससुर को सलाम किया और दुआ पाई। सकीना को दुआ देकर मियाँ एक खुर्रे पलंग पर लिपटे हुए बिस्तर का तकिया लगाकर लेट गए। नौकर ने आवाज़ लगाई। नौकरानी गई और मियाँ का ख़स की नै वाला हुक़्क़ा लाई। नै झुकाई गई। आरज़ू ने झुककर गट्टा दबाया। मियाँ ने दो-तीन कश लिए और तब बोले :

"आज हम बहोत ख़ुश हैं। जिस घर से हम निकाले गए थे हमने वह घर आज ख़रीद लिया। बेगम बी!" उन्होंने बेगम बी की तरफ़ देखा। बेगम बी ने पन्ना घोंटते-घोटते आँख उनकी तरफ़ कर दी। "उसी घर ने तुम्हें कबूल करने से इनकार किया था ना! हम अब उसी मकान में रहेंगे।

और उस मकान की कुंजियाँ आज से तुम्हारे कमरबन्द में लटकेंगी।" यह कहकर उन्होंने कुंजियों का एक झब्बा बेगम बी की तरफ़ फेंका। वह झब्बा उनके हाथ में था परन्तु किसी ने उसे कोई महत्त्व नहीं दिया था। बेगम बी रो पड़ीं और अपने आँसू छिपाने के लिए जल्दी-जल्दी पन्ने को चाँदी के कटोरों में उँडेलने लगीं।

"आपो एक कटोरा काहे ना पी लेते," बेगम बी बोलीं तो यह बोलीं फिर दुपट्टे के एक कोने से आँसू पोंछने लगीं। उनकी समझ में नहीं आ रहा था कि वह जिस घर की नौकरानी थीं उसकी मालकिन बनना कैसा लगेगा। जिस आँगन में वह झाड़ू दिया करती थीं वह आँगन उन्हें पहचानकर हँसना तो नहीं शुरू कर देगा!...

मियाँ मुस्कुरा दिए और बोले, "नेकबख्त आज तो सही बोली होतीं।"

किसी ने कुछ नहीं कहा। वह चुपचाप लेटे हुक़्क़ा पीते रहे और मुस्कुराते रहे और अपनी नैनसुख की छोटी-छोटी मूँछों की एक नोक को ज़बान से सहलाते रहे। फिर एकदम से वह सकीना की तरफ़ मुड़े और बोले :

"दुल्हन बी तुम कोई तीन साल से अपने घर नहीं गई हो। कुछ दिनों के लिए हो आओ।"

राजा कोई लड़ाई जीत लेता है तो ख़ुशी में बन्दी रिहा किए जाते हैं। उसी तरह मियाँ ने भी एक लड़ाई जीती थी और उस ख़ुशी में उन्होंने अपने घर के एक क़ैदी को आज़ाद कर दिया था।

"त ईहे ख़ुशी में बेटहू को माफ़ कर दो," बेगम बी बोलीं।

मियाँ ने कोई जवाब नहीं दिया। थोड़ी देर तक लेटे रहे। फिर उठे। उन्होंने बेगम बी की तरफ़ देखा। वह सिर झुकाए पन्ना पी रही थीं। उन्होंने सकीना की तरफ़ देखा। वह भी सिर झुकाए पन्ना पी रही थी। उन्होंने नादिर की तरफ़ देखा। वह उनके वजूद से बेख़बर अपने खेल में

लगा हुआ था। उन्होंने आरज़ू की तरफ़ नहीं देखा। हुक़्क़े की नै को सीधा करके वह बाहर चले गए। उनके जाने के बाद भी आँगन में सन्नाटा रहा कि एकदम से बाहर से आवाज़ आई :

"हुक़्क़ा दे जाओ।"

इस आवाज़ ने नादिर के अलावा सबको चौंका दिया।

"दुलहिन बी", बेगम बी ने सिर झुकाए-झुकाए कहा, "जाने की तैयारी करो बेटा।"

सुक्कन उर्फ़ सकीना उर्फ़ दुल्हन बी घर जाने की तैयारी करने लगी और बेगम बी अपने ख़यालों की भूल-भुलैया में रास्ता भूल गईं।

मियाँ ने एक नया घर अवश्य बनवा लिया था, परन्तु उस घर की बात ही और थी। वही घर तो उनकी ससुराल था। अपनी शादी के छत्तीस साल बाद उन्हें ससुराल जाना अजीब लग रहा था। बूढ़ी बेगम बी ससुराल जाने के ख़याल से ही शर्मा गईं। उन्होंने इस घर पर निगाह डाली। बहुत बड़ा घर था। इतना बड़ा आँगन कि पचास पलंग भी बिछ जाएँ तो आँगन ख़ाली-ख़ाली नज़र आए। आँगन के एक सिरे पर बावर्चीख़ाना था। उससे मिली हुई जिन्स की कोठरी थी, जिसकी दीवारों से टेक लगाए बड़े-बड़े कूँडे ऊँघते हुए बुज़ुर्गों से नज़र आते थे। वे कूँडे कितने अच्छे थे! कोई सवाल करो इनकार ही नहीं करते। बासमती चाहिए? ले लो। धुली हुई मसूर? हाँ-हाँ। अरवा? क्यों नहीं। ले जाओ। अरहर? अरे भई पूछती क्यों हो? कभी-कभी तो उन्हें लगता कि कोठरी जैसे झल्ला गई है। बेगम बी को इस कोठरी से बड़ा प्यार था। वह उन भरे हुए कूँडों को देखतीं तो उनका दिल जैसे और बड़ा हो जाता। और बावर्चीख़ाना तो बिलकुल उनकी माँ की तरह था। बेज़बान और ज़िदें पूरी करनेवाला। वह दाल में बघार डालतीं तो छनाके की आवाज़ सुनकर उनकी आत्मा झूम जाती। वह थोड़ी देर के लिए अपनी माँ के घर पहुँच जातीं और हर तरफ़ से घरेलू बोली की आवाजें आने लगतीं : अरे माटी मिली तैं सुनबे

की ना...कि दिमाग़ ढई त बिलकुले बउरा गई है...। हाय! कितना रस था इन गालियों में...!

बेगम बी आँखें नम हो गईं। कुरते के दामन से आँखें साफ़ करके उन्होंने जूही और चमेली और बेले की उन झाड़ियों की तरफ़ देखा जो गर्मियों में सफ़ेद-सफ़ेद फूलों से लद जाया करती थीं। मियाँ को ये फूल बहुत अच्छे लगते थे। वे उनकी जानमाज़ पर रखे जाते थे। उनके हुक़्क़े की नै में लपेटे जाते थे और मुँह-नाल से लटकते हुए बड़े अच्छे लगते थे। इन थालों के उस पार तीन सीढ़ियोंवाला लम्बा दालान था जो उन्हें हर समय अपने दादा की तरह लेटा हुआ दिखाई देता था। और कभी-कभी उन्हें लगता था कि वह दादा ही की तरह आवाज़ लगानेवाला है : बेगमी तै हुक़्क़ा ना लिअय्यबे का...

इस घर की एक-एक चीज़ में उन्होंने मायकेवालों को घोल रक्खा था। उन्हें इस घर से प्यार था क्योंकि इसी घर में वह बेगम बी बनी थीं। परन्तु मियाँ ने जिस घर के ख़रीदने की ख़बर दी थी उसकी बात ही और थी। उसके आँगन में तो दो सौ पलंग ग़ायब हो जाएँ। जिन्स की कोठरी ऐसी जैसे सारे शहर को वही अनाज देती हो। और उसके दालान और दर-दालान तो मियाँ की तरह हाथ-पैर के अच्छे और बड़ी-बड़ी आँखों और चौड़े माथेवाले तथा चंपई रंगतवाले थे। उनमें वही गौरव था और वही चुप रहने की आदत भी थी। सर्दियों की धूप सीढ़ी से उचककर अन्दर झाँक लिया करती थी और गर्मियों में ऊँचे-ऊँचे मेहराबी दरों पर भारी पर्दे पड़ जाया करते थे। लू के रुख़ पर ख़स की टट्टियाँ बँध जाया करती थीं और दर-दालान ख़स की भीगी-भीगी सुगन्ध से यूँ भर जाया करता था कि पाँव रखते भी जी डरता था कि कहीं ख़ुशबू कुचल न जाए। उसी दर-दालान में वह बड़ी बी साहिबा यानी मियाँ की दादी के पाँव दबाया करती थीं। उन दिनों वह यूँ साठ-बासठ की नहीं थीं। मुश्किल से पन्द्रह बरस की थीं और आईना देखने में उनका जी बहुत लगा करता

था। और दर-दालान के दोहरे पर्दों के अँधेरे और ख़स की महक की चिलमन सरकाकर मियाँ की शरारती निगाहें उनका बदन टटोला करती थीं, और वह शर्मा जाया करती थीं...वाकई उस घर की तो बात ही और थी।

इसीलिए दूसरे दिन जब रजिस्ट्रार घर आया और बेगम बी ने मकान के काग़ज़ पर अपने दोनों हाथों के अँगूठे लगाए तो देर तक रोशनाई के उन दाग़ों को देखती रहीं जिन्होंने उस मकान पर उनका नाम लिख दिया था! 'दिलगीर' जौनपुरी ने वह मकान मेहर के बदले बेगम बी को देकर एक तरह उस ज़िल्लत का बदला ले लिया उस मकान से!

फिर वे लोग उसी मकान में उठ गए और शेख़ सलामत अली 'नादिर' जौनपुरी उसी मकान में जवान हुए, और उसी मकान के एक कमरे में लेटकर उन्होंने इमाम बाँदी से इश्क़ किया। यही इमाम बाँदी आगे चलकर ग़ाज़ीपुरवाले श्री हिम्मत जौनपुरी की माँ हुई।

श्री 'नादिर' जौनपुरी और इमाम बाँदी का इश्क़ ग़ाज़ीपुर शहर के मशहूर इश्क़ों में है। यह इश्क़ हीर-राँझा, सोहनी-महीवाल, या लैला-मजनूँ के इश्क़ों की तरह कोई बड़ा इश्क़ नहीं था। यह इश्क़ ग़ाज़ीपुर शहर ही की तरह बहुत छोटा, बहुत सादा और बहुत बेतकल्लुफ़ इश्क़ था। इसीलिए तो किसी न्यू अलफ़रेड थ्येटर या बब्बन नाटक कम्पनी ने इसका तमाशा नहीं बनाया और किसी नज़ीर या पी. एन. अरोरा अथवा के. आसिफ़ ने फ़िल्म बनाकर उसका अपमान नहीं किया। ख़ुद श्री 'नादिर' जौनपुरी ने अपने इस इश्क़ पर कोई मसनवी नहीं लिखी। उन्होंने इमाम बाँदी का कोई क़सीदा भी नहीं लिखा। उन्हें मसनवी या क़सीदा लिखने का ख़याल ही नहीं आया। वह ग़ज़ल के रसिया थे, और दिल्ली स्कूल के शायर थे। इसलिए उनकी ग़ज़ल पर भी इमाम बाँदी का साया न पड़ सका। क्योंकि दिल्ली की ग़ज़ल पर लौंडे हुकूमत कर रहे थे!

पता नहीं बेगम बी ज़िन्दा होतीं तो इस इश्क़ की तरफ़ उनका क्या ख़याल होता। 'दिलगीर' साहब अवश्य अपनी मसनवी के

'दरबयाने-बेगम' वाले हिस्से में मियाँ 'नादिर' जौनपुरी की ख़बर लेते। परन्तु यह इश्क़ तो उन दोनों के मरने के बाद हुआ।

इमाम बाँदी ग़ाज़ीपुर की एक मशहूर तवायफ़ थी। झूलन के टी स्टॉल के सामने जिस कोठे पर आजकल शहर कांग्रेस कमेटी का दफ़्तर है, वहीं कभी इमाम बाँदी की दुकान हुआ करती थी।

इमाम बाँदी एक मशहूर तवायफ़ थी। जिन दिनों की मैं बात कर रहा हूँ उन दिनों किसी का मशहूर तवायफ़ हो जाना आसान नहीं था। तब रबर के चिकने लचकदार बदन ही से काम नहीं चलता था। कभी-कभी तो बदन की जैसे ज़रूरत ही नहीं पड़ती थी। तब तवायफ़ से बदन के अलावा कई और चीज़ों की माँग की जाती थी, और उन चीज़ों को बदन से ज़्यादा महत्त्व दिया जाता था। मिसाल के तौर पर तब यह देखा जाता था कि वह मालकौंस सवेरे गाती है या शाम को। यह भी देखा जाता था कि बातचीत में धुली-धुलाई नफ़ीस इस्त्री की हुई उर्दू का प्रयोग करती है या नहीं (इसीलिए तो हमारी तरफ़ की शरीफ़ औरतें उर्दू से जलती हैं, और उसे रंडियों की भाषा कहती हैं)। और यह भी देखा जाता था कि उसे शरीफ़ लोगों में उठना-बैठना आता है या नहीं। इन बातों के साथ-साथ वह ख़ूबसूरत भी हो तो सोने में सुहागा हो जाता था। परन्तु उन दिनों लोग सुहागे को सोने से कम महत्त्व दिया करते थे। मुझे आज भी अपने लड़कपन की एक बात याद आती है। पच्चीस-छब्बीस बरस पहले की बात है। कोई बहुत दिन नहीं हुए। शहर में नासिरी की धूम थी। चंपई रंग सबसे पहले मैंने उसी के चेहरे पर देखा। वह एक छोटी-सी ख़ूबसूरत ग़ज़ल थी जिसे अमीर-फ़क़ीर सभी गुनगुनाना चाहते थे। कुछ लोग उसे गुनगुना सके और बाक़ी लोगों की हसरत दिल की दिल में रह गई क्योंकि या तो वह बाज़ार से हट गई या कहीं और चली गई। वह जिस कोठे पर जवान हुई थी शायद उसी पर बूढ़ी होना न चाहती रही हो। सम्भव है कि वह इस ख़याल से डरती

रही हो कि सामनेवाली पान की दुकान पर लगनेवाली भीड़ धीरे-धीरे कम न होने लगे। नासिरी हो और भीड़ कम हो जाए यह शायद उसे गवारा नहीं था। शायद यही सोच-सोचकर बूढ़ी होने से पहले ही वह उस कोठे से उतर गई।

वह उतरी तो जैसे उस कोठे का नशा भी उतर गया। नासिरी के बिना वह कोठा बहुत उदास, बहुत अकेला और बहुत बूढ़ा दिखाई देने लगा है। और सामनेवाली पान की दुकान तो इतनी उजड़ गई है कि वह तँबोली चाय बेचने लगा है, और उसके चमचमाते हुए पीतल के पत्तर जड़े तख़्ते पर धूल जमी रहती है। नासिरी के जाने से चौराहा वीरान हो गया है। अब वह भी कोई चौराहा हुआ जिसके एक कोने पर डॉक्टर उबेदुर्रहमान की दुकान हो और दूसरे नुक्कड़ पर श्री गाँधी आश्रम की, तीसरे नुक्कड़ पर किसी मास्टर अब्दुल्लाह की नक्शा नवीसी की दुकान हो और चौथे कोने पर श्रीकृष्ण 'हृदयेश' का मकान। चौराहा तो नासिरी से आबाद था। इस नासिरी से पहले कोई और नासिरी रही होगी। नासिरी के बिना तो वह चौराहा अब बिलकुल ग़ाज़ीपुर का चौराहा दिखने लगा है, और जो बात मैं इस समय बताना चाहता हूँ वह इसी नासिरी तवायफ़ की है।

ग़ाज़ीपुर में मेरे मकान के बिलकुल सामने हाजी बशीर अहमद साहब की कोठी है। नहीं, मैंने ग़लत कहा। ग़ाज़ीपुर में हाजी बशीर अहमद ख़ाँ साहब की कोठी के बिलकुल सामने ही हमारा मकान है। मेरे पिताजी उन लोगों में हैं कि एक बार उनके मित्र श्री शफ़ीक़ ग़ाज़ीपुरी ने उनसे मेरी शिकायत की कि मैं आवारा हो गया हूँ, तो उन्होंने कहा, "क्या मैंने आवारगी की है कि मेरा बेटा आवारगी करेगा।" यह बात मैं अपने घराने की पारसाई को धौंस जमाने के लिए नहीं कह रहा हूँ, बल्कि इसलिए कह रहा हूँ कि हमारे घर में बाप ही तहज़ीब सिखाते हैं और इस काम में तवायफ़ों से मदद नहीं ली जाती। इसलिए मैं नासिरी को केवल इतना ही जानता था कि कभी-कभार स्कूल जाते हुए या स्कूल से आते हुए

एक अजीब खड़बुक्ची-सी गली से निकलते हुए या गली में जाते हुए जो एक ख़ूबसूरत-सी औरत नज़र आ जाती है, वह नासिरी है। दो-एक बार उसे वारफ़ंड के ड्रामों में काम करते भी देखा था। उन ड्रामों में चूंकि मेरे चचा कॉमेडियन का रोल किया करते थे इसलिए बैक-स्टेज पर या ग्रीनरूम में जाने का मौक़ा भी मिलता था। वहाँ मैंने नासिरी की बोलचाल वाली आवाज़ भी सुनी। वह आवाज़ बड़ी रसीली थी। उस आवाज़ की मिठास का अन्दाज़ा लगाना हो तो ग़ाज़ीपुरी का मिठुआ आम खाइए! वह आवाज़ किसी उपमा के ज़रिए नहीं समझाई जा सकती। अजीब आवाज़ थी उसकी। न फ़ॉर्मल न इन्फ़ॉर्मल। बेतअल्लुक़ भी नहीं लगती थी परन्तु हदों से आगे बढ़ने का हौसला भी नहीं बढ़ाती थी। मैंने उन ड्रामों के ग्रीन रूमों में ग़ाज़ीपुर के बड़े-बड़े वकीलों, मुख़्तारों और बड़े धाकड़ डिप्टी कलक्टरों को उसके आगे-पीछे पालतू कुत्तों की तरह दुम हिलाते हुए देखा है।

अब सुनिए न वे बातें :

शायद अप्रैल की चाँदनी रात थी। अब्बा किसी मुक़दमे के सिलसिले में आज़मगढ़ या बलिया गए हुए थे। बहरहाल वह घर पर नहीं थे। क्योंकि यदि वह घर पर होते तो मुझे यह तजरबा ही न हुआ होता और मैं केवल यह कहकर आगे बढ़ गया होता कि इमाम बाँदी एक तवायफ़ थी। वह केवल एक तवायफ़ नहीं थी। वह एक मशहूर तवायफ़ थी। वह एक ऐसी तवायफ़ थी जिसका सिलसिला नासिरी पर ख़त्म हो गया। और इसीलिए मैं आपको नासिरी के बारे में बतला रहा हूँ कि आप अन्दाज़ा लगा सकें कि हिम्मत जौनपुरी की माँ किस क़िस्म की औरत थी।

हाँ तो मैं यह कह रहा था कि अप्रैल की एक चाँदनी रात थी और अब्बा घर पर नहीं थे। मैं अपने मकान की तीसरी मंज़िल की छत पर बिलकुल अकेला था और जहाँ तक याद आता है सिरहाने एक तिपाई पर लालटेन रखे हुए 'रुसवा' का उपन्यास 'उमराओ जान अदा' पढ़

रहा था। सामने कोठी में हाजी बशीर और अहमद ख़ाँ साहब के दामाद अहमद हसन ख़ाँ साहब की जवानी के दिन थे। हाजी साहब का देहांत हो चुका था और वह उनके पोतों से 'वक़्फ़' के मोतवल्ली होने का मुक़दमा जीत चुके थे। यानी कोठी में उनका सिक्का चलने लगा था। अहमद हसन ख़ाँ में बड़ा रियासती ठाठ-बाट है। जितनी तन्दुरुस्त और हैवी-वेट गालियाँ उन्हें याद हैं उतनी गालियाँ हिन्दी क्षेत्र में शायद ही किसी को याद हों। वह गाली बकते नहीं, गाली सुनाते हैं। और इस तरह सुनाते हैं जैसे कोई शायर अपनी चहेती ग़ज़ल सुना रहा हो। गालियाँ ईजाद करने में वह एक क्रिएटिव जीनियस हैं। अपनी गालियाँ देने में वह अपनी पूरी मर्दाना आवाज़ का प्रयोग करते हैं। हमारे मोहल्ले में लड़कों को जो गालियाँ याद हैं, वे सबकी सब उन्हीं से सुनी हुई हैं। मैंने भी अपने उपन्यास 'आधा गाँव' में जिन गालियों का प्रयोग किया है वे अहमद हसन ख़ाँ साहब ही की देन हैं।

आप यह न समझें कि वह झल्ले आदमी हैं। वह बड़े रंगीन आदमी हैं। गालियाँ देने के लिए उन्हें गुस्से जैसी फटीचर चीज़ का सहारा नहीं लेना पड़ता। क्या कोई शायर गुस्से में शेर लिखता है? क्या कोई कथाकार गुस्से में कोई कहानी ईजाद करता है? कला का स्रोत प्रेम से फूटता है। और ख़ाँ साहब भी ज़्यादातर प्यार ही में गालियाँ बकते हैं। बात यह है कि वह हमारे ज़िले के सबसे बड़े ज़मींदार हैं। और आप लोगों में से जो ज़मींदार रह चुके हैं या ज़मींदारी के दिन देख या भुगत चुके हैं वे जानते होंगे कि जिस तरह रोम का समाज ग़ुलामों पर टिका हुआ था उसी तरह ज़मींदारी की बुनियादों में गालियाँ कूटकर भरी हुई थीं। इनसान को क़त्ल करके आप ज़लील नहीं कर सकते, परन्तु एक गाली देकर आप जब चाहें और जिसको चाहें और जहाँ चाहें, ज़लील कर सकते हैं। अब आप जानिए ज़मींदारी मनुष्य को ज़लील किए बिना तो चल नहीं सकती थी। इसीलिए ज़मींदारों को गालियाँ ज़बानी याद हुआ करती थीं। और

जिस तरह हमें हुक़्क़ा या सिगरेट या बीड़ी पीने की आदत पड़ जाती है उसी तरह उन्हें गाली बकने की आदत पड़ जाती थी, और फिर वे यूँ ही गालियाँ बकने लगते थे। और जिन्हें वे गालियाँ, गाली की तरह नहीं दी जाती थीं वे उन गालियों का बुरा नहीं मानते थे। उन दिनों ख़ाँ साहब को गाली देने या सुनने के सिवा मुजरों का भी शौक़ हुआ करता था। उस चाँदनी रात में कोठी की लम्बी-चौड़ी चूने की छत पर नासिरी का मुजरा हो रहा था और तबले की आवाज़, और घुँघरू की गमक 'उमराओ जान अदा' की जीवन-यात्रा को खोटा कर रही थी। यह उमराओ जान अदा भी एक मशहूर तवायफ़ ही थी। मुझे प्यास लगी। सामने मुँडेर पर सुराही रखी हुई थी। मैं पानी के लिए उठा। पतली-सी सड़क सो रही थी। नीम के पेड़ों की फुनगी पर चाँदनी लरज़ रही थी जैसे अब गिरी और तब गिरी। सामने ही कोठी के अहाते के बीच में खड़ा हुआ शहतूत का पेड़ चाँदी के वरक में लिपटी हुई गिलौरी की तरह बहुत अकड़ में दिखाई दे रहा था। सागूदाने का अकेला पेड़ गरदन उठाए छत को झाँक-झाँककर देख रहा था जहाँ नासिरी का मुजरा हो रहा था। नासिरी के गाने की आवाज़ के सिवा दूर-दूर तक कोई आवाज़ नहीं थी।

"मासूम!" बड़ी बेसुरी आवाज़ में किसी ने मुझे पुकारा। मैं इस आवाज़ को लाखों-करोड़ों की आवाज़ों की भीड़ में पहचान सकता हूँ। यह रामलखन 'चा की आवाज़ थी।

बाबू रामलखन लाल शहर के सीनियर मुख़्तारों में से थे और मेरे चाचा से उनकी गहरी दोस्ती थी। उन्हें क़ानून से ज़्यादा उर्फ़ी, नज़ीरी और हाफ़िज़ के शेर याद थे और मुक़दमे की मिसिल से ज़्यादा दीवाने-मीर और दीवाने-गालिब पढ़ने का शौक था। रामलखन 'चा बड़े ही वज़ादार आदमी थे। उनकी बड़ी-बड़ी थोड़ी-सी बाहर को निकली हुई आँखें भी बड़ी वज़ादार थीं। जिनकी दोस्त हो गईं तो हो गईं। और जिनकी दोस्त नहीं हुईं तो फिर कभी नहीं हुईं। उनकी आँखों की तरह उनकी मूँछें भी

बड़ी वज़ादार थीं। उनका कोई बाल मरते-मरते कम नहीं हुआ। उनका हुक़्क़ा उनके साथ बार तक जाता था। उनकी मौत ने ग़ाज़ीपुर कलेक्टरी के बार में जो कुरसी ख़ाली की है वह तभी से ख़ाली है। क्योंकि अब कोई रामलखन लाल तो पैदा होने से रहा। वह युग समाप्त हो चुका है जो मिट्टी से, ग़ाज़ीपुर जैसी साधारण बस्ती की साधारण मिट्टी से रामलखन 'चा जैसे लोगों के पुतले बनाया करता था।

इसीलिए उनकी आवाज़ सुनकर मुझे यह घबराहट नहीं हुई कि कहीं वह यह न सोच लें कि मैं झाँक रहा हूँ। यह सोचना उनकी शान के ख़िलाफ़ था।

"जी।" मैंने सड़क के इस पार से जवाब दिया।

"क्या कर रहे हो?" रामलखन 'चा ने सवाल किया।

"पढ़ रहा हूँ।" मैंने जवाब दिया।

"ज़रा यहाँ आओ।" उन्होंने हुक्म दिया।

"बहुत बेहतर।"

मैं कोठी में चला गया। ऊपर छत पर क़ालीनों का फ़र्श था। रामलखन 'चा शराब भी पीते जा रहे थे और नासिरी की तारीफ़ भी करते जा रहे थे। वहाँ और भी कई लोग थे। मैं उनके नाम इसलिए नहीं ले रहा हूँ कि शायद अब वे किसी ऐसी महफ़िल में अपने ज़िक्र को पसन्द न करें। रामलखन 'चा ज़िन्दा होते तो अपना ज़िक्र सुनकर अवश्य ख़ुश होते। ख़ाँ साहब के बारे में भी मुझे यक़ीन है कि बुरा नहीं मानेंगे। वह हँसेंगे और कहेंगे : "सय्यद साहब का लड़का हरामीपन कर गया।"

ख़ैर, मैं वहाँ पहुँचा तो रामलखन 'चा ने मुझे अपने पास बैठा लिया और बोले :

"यह जो सामने बैठी हैं, यह भी एक किताब हैं बेटा। सय्यद साहब तुम्हें यह किताब नहीं पढ़ने देंगे क्योंकि वह तो बड़े अपढ़ हैं। मेरे साथ बैठकर यह किताब पढ़ो। यह नासिरी हैं।" मुझे अच्छी तरह याद है कि

उन्होंने "नासिरी है" नहीं कहा था बल्कि "नासिरी हैं" कहा था। "यह तवायफ़ों की आख़िरी खेप है। नासिरी इस शहर की आख़िरी तवायफ़ है"

नासिरी यह सुनकर मुसकराई। मैंने घबराकर उसे सलाम कर दिया, जैसे छोटे बड़ों को सलाम करते हैं और उसने मुझे जीते और ख़ुश रहने की दुआ दी। और मैं अब तक जी रहा हूँ और ख़ुश हूँ। मैं यह नहीं कहता कि यह नासिरी की दुआ का असर है, परन्तु मैं यह अवश्य कह रहा हूँ कि उसने भी मुझे जीने और ख़ुश रहने की दुआ दी थी।

रामलखन 'चा ने मुझे तीस रुपये दिए कि मैं इनाम देना सीख लूँ। उन तीस रुपयों में से बीस रुपये मैं बचा लाया था।

उस रात के बाद कई बार मुजरों में बैठा परन्तु मैंने किसी तवायफ़ को जीने और ख़ुश रहने की दुआ देते न देखा।

रामलखन 'चा ने शायद ठीक ही कहा था कि नासिरी ग़ाज़ीपुर की आख़िरी तवायफ़ है। मशहूर तवायफ़ वह हुआ करती थी जो यदि अवसर का तक़ाज़ा हो तो बड़ी-बूढ़ियों की तरह जीने और ख़ुश रहने की दुआ दे सके।...

इमाम बाँदी भी एक मशहूर तवायफ़ थी। दो-चार ज़िलों में उसका जवाब नहीं था। इसीलिए ग़ाज़ीपुर की रंडियों, भड़वों, साज़िंदों, तम्बोलियों और रईसों को बड़ा आश्चर्य था कि वह बनारस, इलाहाबाद, लखनऊ और गोरखपुर को छोड़कर ग़ाज़ीपुर में अपनी मिट्टी क्यों ख़राब कर रही है। जो उसे देखे बिना जी भी नहीं सकते थे उनका भी यही कहना था कि ग़ाज़ीपुर के बाज़ार में बैठना उसकी तौहीन है।

एक दिन सरे-शाम जो वह चिराग़ की तरह एक खिड़की पर जली तो बाज़ार के सारे चिराग़ मन्द पड़ गए! लोग हैरान कि मुशतरी को चन्दन की यह बोलती हुई मूर्ति कहाँ से मिल गई। क़िस्सा यह था कि वह मुशतरी की ख़ाला अख़तरी की बेटी थी। अख़तरी गोरखपुर की थी। मुशतरी भी ज़ाहिर है कि गोरखपुर ही की थी। इश्क़ के चक्कर में

फँसकर कोठे की सीढ़ियाँ उतरी और हालात ने उसे ग़ाज़ीपुर के एक कोठे पर बिठला दिया। ज़ाहिर है कि भागकर उसने अपनी नाक कटवा ली थी। इसलिए वह गोरखपुर नहीं जा सकती थी। ग़ाज़ीपुर में आकर उसने नाम भी बदल दिया था ताकि उसके घरवाले यही सोचते रहें कि वह घरवाली हो गई है। परन्तु उसे अपनी ख़ाला अख़्तरी से बड़ा प्यार था। दोनों हमजोली भी थीं। इसलिए उसने अख़्तरी को बता दिया था कि वह ग़ाज़ीपुर में पेशा कर रही है। परन्तु उसने अख़्तरी को अपनी जान की क़सम भी दे रखी थी कि वह यह बात किसी और को न बताए कि गोरखपुर की नव-बहार ग़ाज़ीपुर की मुशतरी बनी हुई है।

यदि मुशतरी गोरखपुर से न भागी होती और उसके आशिक़ ने उसे ग़ाज़ीपुर लाकर न छोड़ दिया होता और उसने ग़ाज़ीपुर ही में अपने बदन की दुकान न खोल ली होती तो शायद श्री हिम्मत जौनपुरी की कहानी कुछ और होती, और शायद मैं उसे लिखने का इरादा ही न करता, लेकिन हुआ यही कि गोरखपुर की नव-बहार ग़ाज़ीपुर की मुशतरी बनी...

उधर गोरखपुर में अख़्तरी की बेटी इमाम बाँदी जवान हो गई। इस बात का हमारी कहानी से कोई सम्बन्ध नहीं है कि उसका नाम इमाम बाँदी क्यों पड़ा। इसलिए मैं भी इस चक्कर में नहीं पड़ता। बस इतना बता देता हूँ कि ताबड़तोड़ पाँच बेटों के बाद अख़्तरी के यहाँ यह बेटी हुई थी, और उसकी पैदाइश में कोई ऐसा घपला हो गया था कि बड़े-बड़े डाक्टरों ने कह दिया था कि अब अख़्तरी के यहाँ बच्चा नहीं होगा। अख़्तरी ने भी कोई ख़ास फ़िक्र नहीं की क्योंकि उसके यहाँ एक बेटी तो हो ही चुकी थी, और एक ख़ूबसूरत बेटी कई ज़िन्दगियाँ काटने के लिए काफ़ी होती है। अख़्तरी को यह तो ख़बर थी नहीं कि उसकी बेटी जवान होते ही इश्क़ के चक्कर में फँस जाएगी, परन्तु जवान होने के बाद उसने पहला काम यही किया कि अपने उस्तादजी के बड़े बेटे शमशाद पर आशिक़ हो गई। कमबख़्त को इश्क़ करने के लिए भी शमशाद ही

मिला। अख़तरी ने माथा ठोंक लिया। कई दरबारों से नवबहार का बुलव्वा आ चुका था। अख़तरी ने बड़े लम्बे-चौड़े ख़्वाब देखना शुरू कर दिया था कि पता चला कि साहबज़ादी साहिबा उस शमशाद जैसे निखट्टू पर आशिक़ हो गई हैं जिसे सारंगी के गज़ पर ठीक से मोम लगाना तक नहीं आता। अख़तरी का ख़ून खौल उठा। हद हो गई थी। न कोई राजा न नव्वाब, न कोई सौदागर न तउल्लकेदार। जनम-जली को मिला भी कौन, शमशाद! बस शमशाद, जो ज़िन्दगी-भर शमशाद होने के सिवा कुछ हो भी नहीं सकता था! इसलिए पहले तो इमाम बाँदी को ख़ुद अख़तरी बाई ने बहुत ज़िन्दगी का ऊँच-नीच समझाया। बुढ़ापे से डराया। परन्तु इमाम बाँदी ने एक न सुनी, तो उसे बाज़ार की बड़ी-बूढ़ियों ने समझाया। पुराने ज़माने की कई जवान तवायफ़ों की कहानी सुनाकर उसे दहलाया। परन्तु वह टस से मस न हुई। एक दिन अख़तरी ने उसे चुपचाप ग़ाज़ीपुर पहुँचा दिया और उसे मुशतरी के हवाले कर दिया।

मुशतरी ने उसे समझाने की कोशिश ही नहीं की। उसने उसे बना-सँवारकर खिड़की पर बिठला दिया। इमाम बाँदी ने ज़रा मुँह लटकाया ही था कि मुशतरी बरस पड़ी :

"मुँह सीधा करो नहीं तो इस्तरी कर दूँगी।"

उसके लहजे में न जाने क्या था कि इमाम बाँदी सहम गई। बस यह सहम जाना उसकी हार थी। ख़ुद उसकी समझ में भी यह बात आ गई कि आज शमशाद की कहानी ख़त्म हुई। बस उसने हार मान ली।

उस्ताद निजात इमाम बाँदी के कोठे पर बैठनेवाले दिन की बात करते हैं तो उनकी आँखों में आज भी एक चमक आ जाती है।

इमाम बाँदी का रंग भी बेगम बी और दुल्हन बी यानी सुक्कन उर्फ़ सकीना ही की तरह साँवला था। मगर अजीब साँवला था। गर्मी के दिनों में एकदम से बादल आ जाते हैं और ठंडी हवा चलने लगती है ना; तो उस ठंडी हवा में दिन साँवला-साँवला-सा दिखाई देने लगता

है ना। इमाम बाँदी का साँवलापन वैसा ही था और हर पल यह लगता था कि अब बादल छंटेंगे और दमकता हुआ सूरज निकल आएगा। उसकी आँखें बड़ी नहीं थीं परन्तु किसी पुरानी बावड़ी की तरह अथाह और पुर-असरार अवश्य थीं। इन आँखों के ऊपर लम्बी स्याह पलकों से परे घनी भँवें थीं :

भँव चूम लेइला कहीं सुंदर जो पाइला।
हम ऊ हईं कि होंट पे तलवार खाईला॥

इमाम बाँदी मुस्कुरा दी। फिर उसने अपनी बड़ी-बड़ी आँखें उठाकर शेर पढ़नेवाले नौजवान को देखा, और उसे देखते ही वह चौंक पड़ी। उसने सोचा : शमशाद से कितना मिलता-जुलता है यह आदमी।

इतने में मुशतरी ने पान की थाली बढ़ाई। वह हँस पड़ा और बोला :

"हम तूँसे पान खाए ना आए हैं मुशतरी बाई।" 'नादिर' जौनपुरी ने कहा। यह बात किसी तरफ़ से ऐसी नहीं थी कि इमाम बाँदी जैसी सीखी-सिखाई हुई रंडी चौंक पड़ती। परन्तु इश्क़ से ज़्यादा चौंघट कोई और चीज़ नहीं होती। इसका तो कोई ठिकाना ही नहीं है कि कब किस चीज़ को पसन्द कर बैठेगा।

इमाम बाँदी ने नादिर को गौर से देखा और उसे अपना ख़याल बदलना पड़ा। शमशाद और नादिर जौनपुरी में बड़ा फ़र्क़ था। नादिर जिस भरोसे और यक़ीन के साथ बैठा हुआ था, उस तरह शमशाद की सात पुश्तें नहीं बैठ सकती थीं। नादिर के होंठों पर जो खिलंदरी और बेझपक मुस्कुराहट थी, वह शमशाद की डरी हुई चोट्टी मुस्कुराहट से बिलकुल अलग थी। शमशाद की मुस्कुराहट तो उसके होंठों तक दबे पाँव, इधर-उधर देखती और सहमी हुई आती थी—जैसे कोई चोर किसी घर में उतर रहा हो! और नादिर यूँ मुस्कुरा रहा था जैसे मुशतरी जान का कोठा भी उसके अपने घर का एक हिस्सा हो। यह मुस्कुराहट चाँदनी

की तरह उसके दिल में उतर गई। मुशतरी जैसी घाग तवायफ़ भी यह न देख सकी कि इमाम बाँदी के दिल में उजाला हो गया है। यदि वह देख लेती तो खिड़कियों के दरवाज़े बन्द करने का प्रयत्न अवश्य करती।

"ऐ मियाँ, लौंडी को यह शरफ़ तो दीजिए कि उसके हाथ से एक गिलौरी कुबूल कर लीजिए!"

(वह तो बड़ी ख़ैरियत हुई कि सरकार ने ऐंटी प्रॉस्टिट्यूशन ऐक्ट पास करके रंडियों से कोठे ख़ाली करवा लिए, नहीं तो उनकी यह भाषा भला आज कौन समझता। अंजुमन तरक्कीये—उर्दू को रंडी बचाव योजना चलानी चाहिए।)

"ऐ मुशतरी बाई, तूँ हमसे ई लफ़्फ़ाजी-उफ़्फ़ाजी त करो मत। हम त पबरुवा से इमाम बाँदी का जिकिर सुनके चले आ रहें। तूँ कहाँ छिपा के रक्खे रह्यिु इन्हें।"

"मियाँ की बात!" मुशतरी हँस पड़ी। फिर वह इमाम बाँदी की तरफ़ मुड़कर बोली : "इमामी मियाँ को सलाम करो, बेटा।" वह फिर नादिर की तरफ़ मुड़ गई। उस्ताद कह रहे थे "कैफ़ी साहब[1] के मुशायरे में आपने वह ग़ज़ल सुनाई कि हुनर साहब[2] और शमशाद साहब[3] मुँह देखते रह गए। ख़ैर शमशाद साहब की शायरी में तो नासिख़ की पहलवानी के सिवा होता ही क्या है? कोई बदनसीब ही होगा जो उनके शेर गुनगुनाएगा। मगर मीर ज़ाकिर हुसैन[4] की शायरी में तो बड़ा मज़ा है। और जो वह मियाँ की ग़ज़ल सुनकर हक्का-बक्का रह गए तो ग़ज़ल ज़रूर ख़ासे की रही होगी।"

"अरे मुशतरी जान मीर ज़ाकिर तो मीर ज़ाकिर, आसी साहब[5]

---

1. ग़ाज़ीपुर के तीन पुराने कवि
2. वही,
3. वही,
4. 'हुनर' साहब का नाम
5. उर्दू के एक प्रसिद्ध कवि

तक झूम रहे थे," उस्ताद निजात ने अपनी सारंगी की तलवार सौंतते हुए कहा। "क्या मतला फ़रमाया था। सुबहान अल्लाह। 'मेरे रोने पे जो हँसता होगा, उसका ग़म मुझसे ज़्यादा होगा'—इस मतले ही पर मुशायरा लुट गया। उस्ताद अली बख़्श शेफ़्ता ने तुरन्त अपनी ग़ज़ल फाड़ दी और कहा कि अब ग़ज़ल पढ़ना फ़ुज़ूल है।"

"इमामी, मियाँ से वह ग़ज़ल माँग ले," मुशतरी ने इमामी से कहा, "मियाँ की ग़ज़ल और इमामी की आवाज़! कान छूकर कहती हूँ आग न लग जाए तो जो चोर की सज़ा वह मेरी सज़ा।" मुशतरी बात ख़त्म करके पान लगाने लगी।

मतला इमामी को भी पसन्द आया। उसने सोचा इस ग़ज़ल पर सोहनी का पानी चढ़ गया तो क्या चीज़ हो जाएगी। इसलिए उसने चुपके से उस शायर की तरफ़ देखा जिसने ऐसा भरपूर मतला लिखा था। गोरखपुर में तो ऐसा एक भी शायर न होगा। बस गोरखपुर उसकी निगाहों से उतर गया और उसने उस रात अपनी कनखियों के क़लम से अपनी पूरी तक़दीर लिख डाली। उसने शमशाद का नाम काटकर शेख़ सलामत अली 'नादिर' जौनपुरी का नाम लिख लिया और उसने अपनी जीवन-कथा को ऐसा चुपके से और इतनी तेज़ी से परिवर्तित किया कि मुशतरी जैसी घाघ भी न भाँप सकी कि उसने जिस किताब पर एडवांस दिया है वह हाथ से निकल गई।

नादिर ने वह ग़ज़ल लिखवा दी। उस्ताद ने हर शेर पर झूम-झूमकर तारीफ़ की और नादिर साहब थोड़ी देर के लिए फिर उसी मुशायरे में पहुँच गए जिसमें उनकी ग़ज़ल सुनकर उस्तादों ने अपनी ग़ज़लें फाड़ दी थीं, और 'आसी' साहब तक जिसे सुनकर झूम उठे थे।

बात आई-गई हो गई। 'नादिर' जौनपुरी आते रहे। पान खाते रहे। गाना सुनते रहे। पैसे देते रहे। और इमाम बाँदी के ख़्वाबों से बेख़बर इमाम बाँदी के बारे में ख़्वाब देखते रहे।

मैं चूँकि उनकी आत्मकथा लिखने नहीं बैठा हूँ इसलिए मैं उनके प्रेम से नहीं उलझना चाहता। परन्तु एक बात बताना आवश्यक है कि यदि हाजी बुलाक़ी मियाँ के इकलौते बेटे पीर मोहम्मद की शादी न हुई होती और जो हुई भी होती तो वह पहलवान आरजू जौनपुरी के उस्ताद भाई न रहे होते और जो वह उस्ताद भाई रहे होते तो उस शादी में इमाम बाँदी का मुजरा न हुआ होता। और जो इमाम बाँदी का मुजरा हुआ होता और उसमें 'नादिर' जौनपुरी की वही ग़ज़ल न गाई जाती तो श्री हिम्मत जौनपुरी की कहानी हरगिज़ इस लायक न होती कि सुनाई जाती। परन्तु इस बात में इतने 'जो' हैं कि इस कहानी को बनना ही था।

हुआ यह कि उसने यह ग़ज़ल गाई। मक़ते पर हाजी बुलाक़ी ने मुस्कुराकर पहलवान आरजू जौनपुरी की तरफ़ देखा। पहलवान ने बेटे की तरफ़ देखा तो यह देखा कि ख़ून के दबाव से उसका चेहरा महफ़िल के फ़र्श पर गिरा चाहता था।

यह बताने की तो कोई आवश्यकता नहीं कि हर बाप के पास खुफ़िया पुलिस का एक निजी महकमा होता है। उस रात घर आते-आते पहलवान को पता चल गया कि उनका बेटा इमाम बाँदी पर कहानी के शहज़ादों की तरह एक जान छोड़ हज़ार जान से आशिक़ है। बेगम बी, दुल्हन बी और इमाम बाँदी में बहुत फ़र्क़ था। इमाम बाँदी रंडी थी।

अब शेख़ बरकतुल्लाह 'आरजू' जौनपुरी कोई 'दिलगीर' जौनपुरी तो थे नहीं कि 'दरबयाने-बेगम' में कुछ शेर बढ़ाकर रह जाते। वह तो पहलवान थे और पहलवान मसनवी नहीं लिखते। चुनाँचे बात बढ़ गई और जवान बेटे पर उनका हाथ उठ गया।

पिटने के बाद 'नादिर' जौनपुरी को पता चला कि वह सचमुच इमाम बाँदी पर आशिक़ हैं। जब उन्हें यह पता चल गया तो इसके सिवा चारा ही क्या रह गया कि वह इमाम बाँदी से शादी कर लें। और उन्होंने यही किया। एक रात वह इमाम बाँदी को मुशतरी के परछाइयों भरे मकान

से निकाल लाए। सट्टी मसजिद के मुल्ला ने निकाह पढ़ा। वह अपनी बीवी को लेकर घर गए तो पता चला कि असली चीज़ निकाह नहीं है। आरजू साहब ने न सिर्फ़ यह कि इमाम बाँदी को बहू नहीं माना बल्कि उन्होंने रात के सवा दो बजे दरवाज़े पर खड़े-खड़े 'नादिर' जौनपुरी को आक़ भी कर दिया। यूँ 'नादिर' जौनपुरी अपने ख़ानदान के सदियों पुराने इतिहास में दूसरे बेटे थे जो आक़ किए गए। 'दिलगीर' जौनपुरी बेगम के लिए आक़ किए गए थे और 'नादिर' जौनपुरी इमाम बाँदी के लिए आक़ किए गए।

यह पता नहीं चल सका कि उन्होंने वह रात कहाँ गुज़ारी। लेकिन दूसरे दिन उन्होंने सट्टी मसजिद के पिछवाड़े एक घर सवा रुपये महीना किराए पर ले लिया। और फिर जीवनभर वह उसी किराए के मकान में रहे। वह निरे शायर थे, इसलिए अपने दादा की तरह आबाई मकान ख़रीद न सके। यानी इमाम बाँदी अपनी ससुराल गई ही नहीं। उसकी आवाज़ किराए के उस मकान की रेत में सूख गई। उसकी चमकदार आँखें उस घर के अँधेरे से लड़ते-लड़ते थक गईं। परन्तु उसे एक इनाम भी मिला। उसके नाम के साथ जुड़ा हुआ 'जान' अलग हो गया। वह 'बी' कही गई। हिम्मत साहब ने भी उसे अम्माँ की जगह 'बी' ही कहा।

बहरहाल पहली अगस्त सन सत्ताईस को उस घर में एक लड़का पैदा हुआ। उसका नाम शेख़ मुबारक अली 'हिम्मत' जौनपुरी रखा गया।

यह तारीख़ मुझे ज़बानी इसलिए याद है कि मैं भी चुपचाप दिल ही दिल में इसी तारीख़ को अपना जन्म-दिन मनाता हूँ।

श्री हिम्मत जौनपुरी के बैकग्राउंड के बारे में इतना बताना ज़रूरी था। अब उनकी जीवन-कथा आरम्भ करने की आज्ञा चाहता हूँ।

श्री हिम्मत जौनपुरी की कहानी एक ऐसे निहत्थे की कहानी है जो जीवन

भर जीने का हक़ माँगता रहा। जो एक सीन से दूसरे सीन में डिज़ाल्व होता रहा। और जो डिज़ाल्व होने की इसी कोशिश में एक दिन फ़ेड-आउट हो गया। मरनेवाले ने अपने पीछे एक धाँसू फ़िल्मी सब्जेक्ट, मंजन की कुछ पुड़ियाँ और नामर्दी दूर करनेवाले भस्म की कुछ शीशियाँ छोड़ीं। उसने एक कहानी भी छोड़ी।

मैंने हिम्मत का जन्म-दिन तो यूँ ही बता दिया है। किसी कहानी में जन्म-दिन का कोई ख़ास महत्त्व नहीं होता। पैदा होने और मर जाने में क्या रक्खा है? सभी पैदा होते हैं और सभी मर जाते हैं। महत्त्व तो है इन बिन्दुओं के बीच के फ़ासले का। और इसी फ़ासले को नापने के लिए इन दोनों बिन्दुओं की ज़रूरत पड़ती है। परन्तु यह ध्यान में रहे कि यह फ़ासला दिनों, महीनों या वर्षों में नहीं नापा जाता। इसके दिनों और महीनों का हिसाब ही और होता है। क्षण सदी बन जाते हैं और सदियाँ पल बनकर जन्म से गुज़र जाती हैं। हो सकता है कि शरीर सौ वर्ष जी ले और आत्मा सौ पल न जी सके। और यह भी हो सकता है कि शरीर चालीस बरस जीये और आत्मा उन्हीं चालीस बरसों में चालीस हज़ार साल जी ले!...इसीलिए मैं हिम्मत के पैदा होने या मर जाने के चक्कर में नहीं पड़ना चाहता।

अब आपसे क्या छिपाना, मैं हिम्मत के शुरू के आठ वर्षों के बारे में कुछ जानता भी नहीं। मैंने बी से पूछा तो वह बोलीं, "मुझे नहीं मालूम। वह बड़ा चुप्पा था। जितनी देर घर में रहता था आँगन में वहाँ अनार के उस पेड़ के नीचे खटोले पर पड़ा-पड़ा अपने आप से बातें किया करता था। ख़ुद ही चोर बनता और ख़ुद ही सिपाही। ख़ुद ही जज बनता और ख़ुद ही वकील। कभी-कभी तो मुझे बड़ा हौल आने लगता कि अल्ला न करे कोई साया-वाया न हो। बड़ी झाड़-फूँक करवाई। एक मुल्लाजी ने बताया कि जिनों के बादशाह, भला-सा नाम था उसका, हाँ ज़ाफर तो जाफ़र का बेटा कँवर उस पर आशिक़ हो

गया है और वही हिम्मत के साथ खेलता रहता है। बेटा यह सुनकर मेरा जी तो धक से हो गया।"

मैंने कहा, "मगर बी, अपने आप से बातें करने के सिवा भी तो वह बहुत कुछ करता रहा होगा। उसने शरारतें की होंगी, ज़िदें की होंगी। बरतन तोड़े होंगे..."

बी ने मेरी बात काट दी। बोलीं, "क्यों नहीं। मगर बेटा मुझे क्या मालूम था कि तुम उस नामुराद पर किताब लिखोगे। मालूम होता तो उसके बचपन के एक-एक पल को अशरफ़ियों की तरह सैंत रखती।"

बी, यानी हिम्मत की माँ इमाम बाँदी बड़ी अजीब औरत थी। कोई और माँ होती तो वह हिम्मत के बचपन की झूठी-सच्ची बातें यूँ फ़र-फ़र सुनाती जैसे नर्सरी के बच्चे नर्सरी की कविताएँ सुनाते हैं। परन्तु बी ने ऐसा नहीं किया और जीवनियों पर से मेरा भरोसा उठ गया। कोई गुज़र जानेवाले एक-एक पल को कैसे याद रख सकता है। और इसका अर्थ यह निकला कि जीवनी में यदि ताना सत्य का होता है तो बाना झूठ का। शायद इसीलिए जीवनियाँ इतनी दिलचस्प होती हैं। हिम्मत की कहानी के गाढ़े दूध में मैं भी झूठ का ज़ोर न डालूँगा। परन्तु सत्य में झूठ को फेंटना कोई आसान काम नहीं होता। यही साहित्यकार का क्राफ़्ट है। वह केवल आवश्यक झूठ बोलता है। वह दूध में पानी नहीं मिलाता बल्कि सोने में टाँका लगाता है।

हिम्मत मेरा दोस्त था। परन्तु मैं यह नहीं कह सकता कि मैं उसकी एक-एक बात जानता हूँ। आधे से ज़्यादा जीवन तो ख़ुद ही जीनेवाले से छिपा रहता है। यह कौन बता सकता है कि वह कुल कितनी बार हँसा था या उसकी आँखों से आँसुओं की कितनी बूँदें बहीं। मैं उन मुस्कुराहटों की तो बात भी नहीं कर रहा हूँ जो होंठों तक नहीं आ पातीं। और न ही मैं उन आँसुओं का हिसाब माँग रहा हूँ जो आँखों में जगह नहीं पाते तो दिल में रिस जाते हैं। जीवनी भी उपन्यास ही होती है। जीवनी और

उपन्यास में फ़र्क़ है तो बस यह कि जीवनी के पात्रों के नाम असली होते हैं। इसलिए मैं यह कहानी यूँ शुरू करना चाहता हूँ कि उसका नाम शेख़ मुबारक अली 'हिम्मत' जौनपुरी था। वह ग़ाज़ीपुर में सट्टी मसजिद के पीछे किराए के एक छोटे से मकान में पैदा हुआ था। आम तौर से मरनेवाले के बारे में यह कहा जाता है कि वह बड़ी ख़ूबियोंवाला था। परन्तु हिम्मत कोई साधारण मरनेवाला नहीं था। उसके मरने के बाद भी किसी ने यह न कहा कि वह ख़ूबियोंवाला था। वह तो बड़ा ही फटीचर आदमी था। मैं यह कहानी केवल इसलिए सुना रहा हूँ कि मैं ख़ुद भी इस कहानी को सुन सकूँ।...

हिम्मत ही की तरह ग़ाज़ीपुर भी एक बहुत ही साधारण शहर है। दोनों में फ़र्क़ केवल यह है कि हिम्मत मर गया और ग़ाज़ीपुर जी रहा है। बाबुल और नैनवा, हड़प्पा और मोहनजोदड़ो जैसे शहर मर-खप गए, परन्तु ग़ाज़ीपुर जी रहा है। इस शहर का नाम तो हिम्मत नगर होना चाहिए।

ग़ाज़ीपुर में छोटी लाइन के दो स्टेशन हैं। ग़ाज़ीपुर सिटी और ग़ाज़ीपुर घाट। सिटी स्टेशन को शहर के बेपढ़े लोग फुन्ननपुर कहते हैं क्योंकि जब यह स्टेशन बना होगा तो फुन्ननपुर गाँव में रहा होगा।

मुसाफ़िर आम तौर से सिटी स्टेशन पर उतरते हैं। यदि कोई बनारस से ग़ाज़ीपुर जा रहा हो तो जब उसे दाहिनी खिड़कियों से जूही और चमेली और बेले के खेत दिखाई देने लगें तो उसे अपना होल्डाल लपेटना चाहिए, क्योंकि ये खेत ग़ाज़ीपुर की पहचान हैं। फिर जब दूर से ईसाइयों का क़ब्रिस्तान नज़र आ जाए तो मुसाफ़िर को चाहिए कि वह सँभलकर बैठ जाए, क्योंकि ईसाइयों की क़ब्रें देखकर गाड़ी तेज़ी से पटरी बदलती है और पतझड़ में झड़े हुए पत्तों जैसे मुर्दा मकान और उतरी हुई केंचुल की तरह बेजान सड़कें दिखाई देने लगती हैं।

सिटी स्टेशन एक पिनकता हुआ-सा स्टेशन है। और यह नगर इतना छोटा है कि इक्के, रिक्शेवाले शहर और आस-पास के गाँवों की सवारियों को अच्छी तरह पहचानते हैं। जिस दरवाज़े पर टिकट कलेक्टर टिकट लेता है, उसके पार इन रिक्शे, इक्केवालों का मजमा खड़ा गला फाड़ता है : "ए भय्या। हम आ गए हैं। हट बहिनचो। का तैं देख ना रहा कि हमरे महल्ले की सवारी है..."

कुलियों के बाहर निकलते ही सामान की छीना-झपटी शुरू हो जाती है। सीधा तरीक़ा यह है कि इस छीना-झपटी का तमाशा देखा जाए और जो रिक्शेवाला जीत जाए उस रिक्शे पर चुपचाप बैठ लिया जाए।

एक ज़माना था जब ग़ाज़ीपुर में किराये के दो टाँगे भी चला करते थे। परन्तु यह उन दिनों की बात है जब चना सस्ता हुआ करता था। धीरे-धीरे इक्के भी कम होते जा रहे हैं। जवान इक्के वालों ने घोड़े बेचकर अपने आपको रिक्शे में जोत लिया है। रिक्शों की संख्या दिन-ब-दिन बढ़ती जा रही है, क्योंकि घोड़ों की तरह आदमी को रोज़ पाँच सेर चने की ज़रूरत नहीं पड़ती। पाँच सेर चना हो तो एक परिवार दो दिन खाना खा ले। आदमी के लिए तो यही टॉनिक काफ़ी है कि बच्चे भूखे हैं! इस ख़याल की फंकी मारकर और ऊपर से पेट भर पानी पीकर वह इस तरह हवा से बातें करने लगता है कि सवारी को मज़ा आ जाता है।

ग़ाज़ीपुर जैसे छोटे शहर के रिक्शे पर बैठने का एक और फ़ायदा भी है। आदमी बेज़बान तो होता नहीं। इसलिए रिक्शेवाला बात भी करता जाएगा क्योंकि बोलने से ध्यान बँट जाता है और बोझ हलका हो जाता है। और रिक्शेवाला कोई आलोचक तो होता नहीं कि बेलाग बात न कर सके। उसकी रनिंग कमेंट्री बड़ी बेलाग और दो-टूक होती है। हाँ यह ज़रूर है कि उसकी भाषा ज़रा असाहित्यिक होती है : "अरे इ बहिनचो' सरकार से कुछ ना हो सकता भय्या। बाक़ी इ शहरेवाले गाँ' हैं त हम का करें...।"

इन रिक्शेवालों को मेरे अब्बा की तरह सही नाम लेने का शौक़ भी नहीं हैं। और आपसे क्या छिपाना मैं मोहल्लों के नामों के मामले में इन रिक्शेवालों ही को सनद मानता हूँ। अब्बा जिस मोहल्ले को सकलैन आबाद कहते हैं वह ग़ाज़ीपुर की भाषा में सकलैनाबाद है। वह जिसे नूरुद्दीनपुर कहते हैं वह नुरदीपुरा हो गया है। हर शहर शब्दों और नामों को अपनी ज़बान की ख़राद पर चढ़ाता है। मेरे अब्बा ग़लत बोलते हैं। शायद इसका कारण यह हो कि वह फैज़ाबाद और फिर लखनऊ के पढ़े हुए हैं और इसलिए तलफ़्फ़ुज़ ही उनके लिए भाषा का सबसे बड़ा मूल्य है। परन्तु रिक्शेवाले फैज़ाबाद के पढ़े हुए नहीं हैं। इसलिए वह ठेठ ग़ाज़ीपुरी भाषा बोलते हैं। मेरी अम्मा भी ग़ाज़ीपुरी भाषा बोला करती थी। मैं भी ग़ाज़ीपुरी भाषा बोलता हूँ और अब्बा की डाँट सुनता हूँ। मुझे 'नादिर' जौनपुरी इसीलिए पसन्द न थे कि दोस्ती उनकी भाषा को बिगाड़ नहीं सकी थी। वह हमेशा सकलैनाबाद, मसूरघाट, नुरदीपुरा और नख़ास ही कहा करते थे।

ग़ाज़ीपुर के रिक्शेवाले भी यही नाम लेते हैं। वे जिस घर के सामने से गुज़रेंगे उस घर की ख़ैरियत भी सुनाते जाएँगे : "अभईं दुइ महीना भया हरी साह की बेटी की बरात आई रही। एलाहाबाद की जुग्गन बाई का नाच भया रात भर। हियाँ की अख़तरीया उख़्तरिया त बिलकुले बेकार हैं साहब।"

हरी साह की बेटी के विवाह का आँखों देखा हाल सुनते-सुनते आप बड़े इमामबाड़ा तक पहुँच जाएँगे। दाहिनी तरफ़ छोटा इमामबाड़ा है और बाईं तरफ़ बाड़ा जिसके सामने फैली हुई ज़मीन में ग़ाज़ीपुर के मुसलमान दफ़्न होते हैं। यहीं हिम्मत जौनपुरी के बुज़ुर्ग भी दफ़्न हैं। और आगे बढ़िए तो दाहिनी तरफ़ 'रीगल टॉकीज़' है जो एक प्रोजेक्टर पर फ़िल्में दिखलाती है। सिटी स्कूल और अस्पताल से आगे बढ़े चले जाइए। गजानन्द की दुकान पर भी न रुकिए तो आप वैद्यनाथ के चौराहे पर आ

जाएँगे। यहाँ से दाहिनी तरफ़ जो सड़क जाती है वह 'प्रकाश टॉकीज़' से होती हुई हाजी मोहम्मद मुस्तफ़ा तम्बाकूवाले के मकान से कतराती हिम्मत के पुश्तैनी मकान की तरफ़ चली जाती है। नुक्कड़ पर डाक्टर उबदुर्रहमान की दुकान है। हिम्मत के पिता आज भी यहीं बैठकर 'शमा' का मोअम्मा हल करते हैं या कभी डाक्टर साहब को फ़ुरसत होती है तो उनसे राजनीति पर बात करते हैं और शतरंज खेलते हैं।

चौराहे से बाएँ हाथ को जानेवाली सड़क मेरे घर को छूती हुई शहर से बाहर चली जाती है। आप सीधे चलिए। थोड़ी दूर आगे चलकर दाहिनी तरफ़ एक गली में झूलन की चाय की दुकान है। रात को घर जाते समय नादिर साहब इस दुकान पर चाय पीते हैं। इसी दुकान पर बैठकर हिम्मत जौनपुरी ग़फ़्फ़ार साहब को अपनी नज़्में सुनाया करते थे। ग़फ़्फ़ार साहब बक़र-क़स्साबी हैं। गोश्त बेचते हैं, साहित्य पर बात करते हैं और मार्क्सिज़्म पर भाषण देते हैं। ये ऐसे शुद्ध मार्क्सिस्ट हैं कि खाँसने पर टोक देते हैं कि खाँसी का यह स्टाइल बुर्जुआ है! हिम्मत को जीवन-संघर्ष की थ्योरी इन्हीं से मिली थी। ये आज भी झूलन की दुकान पर पाए जाते हैं। मगर सुनता हूँ कि राजनीति का बुख़ार कुछ कम हो गया है।

यह ग़ाज़ीपुर अजीब बस्ती है। जब उसकी कहानी सुनाने के बारे में सोचता हूँ, लगता है कि यह शहर मुझसे बहुत बड़ा है। मेरा क़लम छोटी पड़ जाती है। अभी-अभी मैंने जिन लोगों और मोहल्लों के नाम लिये हैं उन सबमें एक उपन्यास छिपा बैठा है। परन्तु मैं शायद वे कहानियाँ नहीं सुना पाऊँगा। ग़ाज़ीपुर की कहानी लिखने के लिए किसी बालज़ाक या गोर्की की ज़रूरत है। बड़े शहरों की कहानी तो कोई भी लिख सकता है। परन्तु छोटे शहरों की कहानी केवल महान कथाकार सुना सकते हैं।"

झूलन के चायख़ाने ही में कैसे-कैसे लोग आते हैं! उन सबका अपना-अपना व्यक्तित्व है। अपने-अपने सपने हैं। अपना-अपना दर्द है।

झूलन की दुकान ग़ाज़ीपुर के जीवन का एक शब्दकोश है। जो बात इस दुकान में न मिले वह बात इस शहर ही में नहीं है। परन्तु इस चायख़ाने का अपना भी एक व्यक्तित्व है जो यहाँ बैठनेवाले राजनाथों, अमरदेवों, गफ़्फ़ारों, सुंदर लालों, ख़ामोशों, क़दीरों, महमूदों, मूनिसों और ख़ुद झूलन के व्यक्तित्व से अलग है। यह कम्युनिस्ट भी है और कांग्रेसी भी और मुस्लिमलीगी भी। यह शीआ भी है और सुन्नी भी। यह ताज़ियादारी भी करता है और ताज़ियादारी का विरोध भी। और दिनभर का थका-हारा हुआ इसका झूलन इश्क़ करने का समय भी निकाल लेता है। जब ग़ाज़ीपुर जाता हूँ तो यह कहानियाँ मुझे घेर लेती हैं और पूछती हैं : "क्या तुम हमें लिखने के योग्य हुए?" और जब मैं यह सुनकर इधर-उधर देखने लगता हूँ तो ये कहानियाँ उदासी से मुस्कुराकर इधर-उधर बिखर जाती हैं!...इसी डर से मैंने ग़ाज़ीपुर जाना छोड़ दिया है।

परन्तु हिम्मत की बात और है। वह ग़ाज़ीपुर की तरह कोई साधारण शहर नहीं था कि किसी साधारण कथाकार के लिए उसकी कहानी सुनाना मुश्किल हो जाए। और फिर इस कहानी का जो सबसे मुश्किल हिस्सा था वह तो मैं सुना चुका। अब तो मैं आँखों देखी बातों की सीमा में आ गया हूँ। अरे जब शेख़ सलामत अली 'नादिर' ने इमाम बाँदी से निकाह कर लिया और सट्टी मसजिद के पीछे सय्यद मुहसिन साहब और जद्दन बाई के मकानों के बीच में किराये का एक मकान लेकर उसमें उठ गए तो अब रह क्या गया जिसे बताना मुश्किल हो।

लेकिन सलामत अली 'नादिर' और इमाम बाँदी की शादी ने इस कहानी में एक और पेच डाल दिया। मैं कोई जासूसी कहानी तो सुना नहीं रहा हूँ कि पाठक को चरके दूँ। इसलिए मैं चाहता हूँ कि पेच के बारे में यहीं बताता चलूँ।

यह तो मैं आपको बता चुका हूँ कि हिम्मत के परदादा यानी 'मसनवी दर हाले-रामो-सीता' वाले शेख़ शुजाअत अली 'दिलगीर' जौनपुरी के

लड़के थे शेख़ सुबहान अल्लाह 'बर्क़' जौनपुरी और शेख़ बरकतुल्लाह 'आरजू' जौनपुरी। इन्हीं 'आरजू' जौनपुरी की वजह से 'दिलगीर' साहब ने बेगम बी को तलाक़ दी थी। उस क़िस्से में 'बर्क़' जौनपुरी ने अपने बाप का साथ दिया पर ज़ाहिर है कि इस घटना की वजह से दोनों भाइयों के दिलों में सफ़ाई नहीं रह गई थी। चुनाँचे दिलगीर साहब के मरने के बाद आरजू साहब ने उस पुश्तैनी मकान के क़ब्ज़े के लिए मुंसिफ़ ग़ाज़ीपुर की अदालत में दावा कर दिया।

'बर्क़' जौनपुरी का कहना यह था कि चूँकि 'दिलगीर' जौनपुरी ने 'आरजू' जौनपुरी को आक़ कर दिया था इसलिए उन्हें बाप का तको नहीं मिल सकता। आरजू का कहना यह था कि यह मकान 'दिलगीर' साहब का था ही नहीं। यह मकान बेगम बी को मेहर में मिला था और बेगम बी की वसीयत की रूह से वह मकान आरजू के क़ब्ज़े में आ जाना चाहिए। अज़ीमउद्दीन साहब 'बर्क़' जौनपुरी के वकील थे और बाबू चन्द्रिका प्रसाद 'आरजू' जौनपुरी के। धूम से मुक़दमा चला। अन्त में विजय 'आरजू' जौनपुरी की हुई और वह दुल्हन बी उर्फ़ सुक्कन को लेकर उस पुश्तैनी घर में चले गए और 'बर्क़' जौनपुरी को उस मकान में जाना पड़ा जो दिलगीर साहब ने बनवाया था और जिसमें उनके दोनों बेटे पैदा हुए थे। ज़ाहिर है कि बर्क़ साहब आरजू को क्षमा नहीं कर सकते थे। इसीलिए इमाम बाँदी और शेख़ सलामत अली 'नादिर' जौनपुरी के इश्क़ का मज़ा सबसे ज़्यादा उन्होंने ही लिया और 'आरजू' जौनपुरी को जलील करने के लिए उन्होंने 'नादिर' जौनपुरी से नाता नहीं तोड़ा।

घर से निकाल दिए जाने के बाद श्री 'नादिर' जौनपुरी की हालत बहुत पतली थी। माना कि वह ऐसे कवि थे कि उनकी ग़ज़ल सुनकर 'हुनर' जैसे उस्ताद अपनी ग़ज़ल फाड़ दिया करते थे। माना कि उनके बिना शहर में कोई मुशायरा नहीं हो सकता था। माना कि जब वह ग़ज़ल सुनाते थे तो 'सफी' लखनवी और 'जिगर' मुरादाबादी जैसे सुनानेवाले

सन्नाटे में आ जाया करते थे। लेकिन हुनर साहब की फटी हुई ग़ज़ल या सफ़ी और जिगर की चुप या मुशायरों की वाह-वाह से श्री 'नादिर' जौनपुरी का छोटा-सा घर तो नहीं चल सकता था न! इसलिए उन्हें नौकरी के बारे में सोचना पड़ा।

मेरे अब्बा ने उन्हीं दिनों ताज़ा-ताज़ा वकालत शुरू की थी। नादिर साहब से राहो-रस्म भी थी। तो अब्बा ने उनसे कहा कि नाहक़ मारे-मारे फिरने से क्या फ़ायदा। यह बात नादिर साहब की समझ में आ गई और वह अब्बा के मुहर्रिर हो गए। मुहर्रिर हुए तो ज़ाहिर है कि सुबह-शाम घर आने लगे। वह चाहते तो अम्माँ को भाभी या भाउज पुकार सकते थे। परन्तु उन्होंने अम्माँ को बाजी कहना शुरू किया और हम लोग उन्हें नादिर मामूँ पुकारने लगे।

अब्बा के एक और मुहर्रिर थे बाबू गोरखनाथ। बड़े वज़ादार कायस्थ थे। चुनाँचे मरे तो शहर में एक दोमंज़िला पक्का मकान, चार लड़के, दो बेटियाँ और एक बेवा छोड़कर मरे। लड़कों को उन्होंने एम. ए. पढ़ाया। लड़कियों की अच्छी जगह शादी की। नादिर मामूँ में भी समझ होती तो वह भी यही करते। परन्तु वह तो बहुत ही सीधे और निरे शायर निकले। आज तक किराये के उसी मकान में हैं। पिछली बार घर गया था तो बता रहे थे कि मालिक-मकान से मुक़दमा चल रहा है। किराया बढ़ते-बढ़ते दो से दस रुपया हो गया। उन्होंने चूँ न की। मगर जो आठ महीनों का बाक़ी रह गया तो वह घर से निकालना चाहता है। मैं जो अब जाऊँगा तो पता नहीं वह उस घर में मिलेंगे भी या नहीं।...

बहरहाल यह तो बात में बात निकल आई। मैं कह यह रहा था कि नादिर साहब अब्बा के मुहर्रिर हो गए। यह ख़बर जब आरज़ू साहब को मिली तो उन्हें बड़ा तैश आया। उनके ख़ानदान में आज तक किसी ने कोई काम नहीं किया था। उन्होंने नादिर मामूँ को हज़ारों गालियाँ दी और अब्बा को भी बहुत बुरा-भला कहा। और यह क़सम खाई कि वह

अब्बा को ठेकमा बिजौली[1] भेजकर दम लेंगे। अब्बा की नई-नई वकालत थी। यह ख़बर सुनकर पलभर के लिए तो वह सन्नाटे में आ गए फिर या अली! कहकर उठे और मगरिब की नमाज़ पढ़ने चले गए। आरज़ू साहब ने अपने सारे मुक़दमे उनसे ले लिए। कई सीनियर वकीलों ने उन्हें समझाया कि यह उनके कैरियर का सवाल है। मगर अब्बा नहीं माने।

अब यह ख़बर जब 'बर्क़' जौनपुरी को मिली कि 'नादिर' जौनुपरी आब्दी वकील के मुहर्रिर हो गए हैं तो उन्होंने सोचा कि अब घर से निकलने का समय आ गया है।

घर की कुंडी बजी और नादिर मामूँ ने दरवाज़ा खोला तो वह अपने चचा श्री सुबहानउल्लाह 'बर्क़' जौनपुरी को देखकर हक्का-बक्का रह गए।

बर्क़ साहब बिलकुल बख़्तरबन्द आए थे। पैरों में पेटेंट लेदर का पंप। चूड़ीदार पाजामा। गले तक बन्द जामावार की अचकन। उँगलियों में एक जर्मुरुद और एक याकूत। हाथ में चाँदी की मूँठवाली एक छड़ी। सिर पर ऊन का कंटोप।

नादिर मामूँ इस हमले के लिए तैयार न थे। घबराकर दो क़दम पीछे हट गए। वह चारख़ाने की लुंगी पर बी की एक रज़ाई ओढ़े हुए थे।

बर्क़ साहब बोले, "क्या मुझसे अन्दर आने के लिए नहीं कहोगे?"

"आपका घर है। मैं कौन होता हूँ कुछ कहनेवाला। लेकिन अन्दर आपकी बाँदी भी है।"

"तुमसे निकाह हो जाने के बाद वह मेरी बहू हो गई है।"

नादिर मामूँ तो यह सोच भी नहीं सकते थे कि बेगम बी तक का साथ न देनेवाले शेख़ सुबाहनउल्लाह 'बर्क़' जौनपुरी उनकी इमाम बाँदी को अपनी बहू कहेंगे।

वह बर्क़ साहब से कुछ कहे बिना अन्दर भागे, "बी, अरे बी, सुनती हो। बड़े अब्बा साहब तशरीफ़ लाए हैं।"

1. मेरे दादा आज़मगढ़ के इसी गाँव के रहनेवाले थे।

बी यानी इमाम बाँदी रसोई में बैठी खाना खा रही थीं। वह एक पटरे पर उकड़ूँ बैठी हुई थीं। उनके बाएँ हाथ में तामचीनी की एक फूलदार प्लेट थी। प्लेट में ख़ुश्का था। ख़ुश्के पर अरहर की दाल थी। उनके दाहिने हाथ में निवाला था और उनके नथने बघार की सुगन्ध से ठसे हुए थे।

नादिर मामूँ की आवाज़ सुनकर वह चौंक पड़ीं। हाथ का निवाला कुरते पर आया और प्लेट घुटने से टकराकर गिर गई। उन्होंने अब तक अपने मियाँ को इस घबराहट से आवाज़ देते नहीं सुना था। उनका दिल धक से हो गया। उन्होंने आँगन की तरफ़ देखा तो उन्हें जामावार की अचकन नज़र आई। जल्दी से सिर पर आँचल डालकर वह बिना हाथ धोए बाहर आ गईं। उन्होंने फिर जामावार की अचकन की तरफ़ देखा।

"दुल्हन, हम इस नालायक़ के बड़े अब्बा हैं," बर्क़ साहब बोले।

यह सुनकर बी ने झपाक से तसलीम की।

"जीती रहो," बर्क़ साहब दुआ देते हुए तीन दरे की तरफ़ बढ़ गए। और नादिर मामूँ के उलटे हुए बिस्तर का तकिया लगाकर बैठते हुए बोले, "तुम लोग खाना खा लो।"

"मैं खाना खा चुका था," नादिर मामूँ पाँयती बैठते हुए बोले। और यह कहते समय उन्होंने अपना जूठा हाथ लटका लिया। बी ने लपझप ताँबे के बड़े नक्शीन लोटे से हाथ धोया और दुपट्टे से पोंछती पानदान सँभालकर बैठ गईं। घर में सन्नाटा छा गया। बर्क़ साहब आ तो गए थे परन्तु उन्हें यह नहीं मालूम था कि सगा भतीजा किसी रंडी से शादी कर ले तो बड़े अब्बा साहब को क्या बात करनी चाहिए। तो वह इस फ़िक्र में थे और नादिर मामूँ यह सोच रहे थे कि जूठे हाथ को कहाँ रक्खें और बी यह सोच रही थीं जामावार की यह अचकन कहीं मियाँ को फुसला न ले जाए और वह इस अजनबी घर में अकेली न रह जाएँ। ठीक उसी वक़्त हिम्मत ने उनकी कोख में करवट ली। दर्द की एक लज़ीज़ लहर उनके बदन में दौड़ गई। उस लज़्ज़त से उनकी आँखें बन्द हो गईं।

बर्क़ साहब ने गला साफ़ किया तो बी चौंक पड़ीं। फिर उन्होंने कनखियों से मियाँ की तरफ़ देखा। वह दाहिना हाथ लटकाए चुपचाप बैठे हुए थे और बर्क़ साहब उस हुक़्क़े के कश ले रहे थे जो मियाँ के लिए भरा गया था।

"ज़रा चिलम खोलना," बर्क़ साहब ने यूँ कहा जैसे वह ख़ास हुक़्क़े की समस्या पर बातचीत करने आए थे।

नादिर मामूँ ने चिलम उठाई और नैचे से लटके हुए छोटे से चिमटे को उठाकर उन्होंने चिलम को खोलना शुरू किया। फिर उन्होंने चिलम की आग को इधर-उधर हटाकर ठीक किया और फिर उसे धीरे-धीरे फूँकने लगे। वह चाह यह रहे थे कि चिलम को सँवारने में इतनी देर लग जाए कि बर्क़ साहब उकताकर कोई बात शुरू कर दें। और बर्क़ साहब इस फ़िक्र में थे कि वह बोलें।

मियाँ ने चिलम रखकर गट्टा दबाना शुरू किया।

"तम्बाकू अच्छी है," आख़िर बर्क़ साहब ही बोले, "कहाँ से मँगवाते हो।"

बर्क़ साहब को मालूम था कि भतीजे के यहाँ कोई नौकर नहीं है। फिर भी उन्हें यह पूछना अच्छा नहीं लगा कि कहाँ से लाते हो। किसी रंडी से ब्याह कर लेना और बात है परन्तु ख़ुद सौदा-सुलफ़ लाना बिलकुल ही अलग बात है। आरजू साहब से दुश्मनी होने के बाद भी बर्क़ साहब को यह गवारा न था कि कोई यह कहे कि 'दिलगीर' जौनपुरी का पोता सौदा ख़रीदने ख़ुद जाता है।

"मुस्तफ़ा के यहाँ की है।" नादिर जौनपुरी ने 'मँगवाने' और 'लाने' का चक्कर ही नहीं पाला।

"मगर मुस्तफ़ा की तम्बाकू में भी अब वह बात नहीं होती।" बर्क़ साहब को बात आगे बढ़ाने का रास्ता मिल गया। यदि भतीजे ने किसी रंडी से ब्याह कर लिया हो और ब्याह के बाद चचा उससे पहली

बार मिला हो तो मुस्तफ़ा के तम्बाकू से ज़्यादा अच्छा और कौन-सा विषय हो सकता है बात कहने के लिए। इसलिए वह ज़रा फैलकर बैठ गए और बोले, "कारोबार बढ़ जाता है तो ये लोग घटिया माल बनाने लगते हैं।"

ख़मीरे की तेज़ महक से सारा दालान गमक रहा था। नादिर मामूँ बड़ी बेबसी से जूठे हाथ को पट्टी से रगड़ने लगे।

बी पान लेकर आ गईं। पानदान की एक कुल्हिया के ढकने में दो गिलौरियाँ। उसने पान अपने चचिया ससुर की तरफ़ बढ़ाया।

"जीती रहो।" बर्क़ साहब ने दुआ देकर पान की गिलौरियाँ मुँह में रख लीं। फिर दो उँगलियों से होंटों के कोनों को साफ़ करते हुए बोले, "नादिर मियाँ, दुल्हन को लाओ किसी दिन। तुम्हारी बड़ी अम्माँ दुल्हन को देखना चाहती हैं।" यह बात ख़त्म करके वह मुस्कुराए। फिर मुस्कुराहट को रूमाल की तरह तह कर जेब में रख लेने के बाद उन्होंने दुल्हन को एक सौ एक रुपये मुँहदिखाई के दिए और बोले, "हमें इससे क्या कि तुम कौन थीं, तुम अब हमारी बहू हो। मियाँ आरज़ू ने जो किया वह नामुनासिब था।" हुक़्क़े की नय उठाकर वह खड़े हुए और बोले, "बशीर के साथ लगे रहो और अपने बाप की मौत का इन्तज़ार करो।"

"थोड़ी देर तो और बैठिए।" नादिर मामूँ ने कहा।

"नहीं, अब चलूँगा। तुम्हारी बड़ी अम्माँ राह देख रही होंगी। मुझे देखते ही पूछेंगी, दुल्हन कैसी है माशाअल्लाह से!"

बर्क़ साहब चले गए। परन्तु नादिर मामूँ के घर उनका आना कोई साधारण बात नहीं थी। सुबह होते-होते यह बात श्री 'आरज़ू' जौनपुरी को मालूम हो गई। वह उस समय एक पट्ठे के साथ ज़ोर कर रहे थे। अखाड़े की मेंड़ पर बैठे हुए दो पट्ठे बातचीत कर रहे थे।

"का बात कर रह्यो। हम ख़ुद अपनी आँख से नादिर भय्या के

घर का किवाड़ खटखटाते देखा रहा।"

"कौन गया था उस नाख़लफ़ के घर?" आरजू उस्ताद ने पूछा।

"इ फेकू कह रहें कि ई कल रात को ख़ुद अपनी आँख से देखिन कि बड़े उस्ताद नादिर भय्या का किवाड़ खटखटाते रहे।"

"अच्छा तो भाई साहब ने मुझे ज़लील करने की यह तरकीब निकाली है।" यह कहते हुए आरजू उस्ताद अखाड़े से निकलकर और पाँच बैठकें मार करके कपड़े पहनने लगे।

सुक्कन बेचारी को क्या मालूम था कि उस्ताद का मूड कैसा है। वह तो बेटे के लिए कुढ़ रही थी। घर में नादिर की बात करने की मनाही थी। परन्तु आज तो ईदू बो एक ऐसी बात बता गई थी कि सुक्कन उस बहाने नादिर की बात निकाल सकती थी। चुनाँचे आरजू उस्ताद को देखते ही बोल पड़ी :

"अरे कुछ सुन्यो?"

"ईदू बो आई रही, मोली इसहाक़ किहाँ से हिस्सा लके आई रही।" सुक्कन पीक थूकने के लिए रुकी। "ऊ ऐक ठो अय्यसी बात कहिस कि हम्में ई कहे को पड़ा कि हम ना मान सकते। ते ऊ लगी तड़ातड़ रसूल की क़सम खाए..."

यहाँ तक सुनते-सुनते आरजू उस्ताद झल्ला गए। बोले, "अरे मगर यह भी तो बताएँगी आप कि उसने कहा क्या?"

"अँह, हम आपसे कै मरतबा कह चुके हैं कि आप एह तरह हमरी बात मत काटा कीजिए। बाक़ी आपो जय्यसे क़सम खाए बय्यठे हैं कि टोकिएगा ज़रूर।" सुक्कन बुरा मान गई।

सुक्कन की इसी अदा पर तो उस्ताद जान देते थे। इसलिए वह पल के लिए भूल गए कि बर्क़ साहब ने उन्हें ज़लील करने की क्या तरकीब निकाली है। वह मुस्कुरा दिए और बिस्तर से टेक लगाने के लिए झुके। परन्तु सुक्कन की डाँट ने उन्हें जहाँ का तहाँ रोक दिया।

"बिछउना ख़राब करे की ज़रूरत ना है। अखाड़े की मट्टी अखाड़े ही में छोड़ आया कीजिए।"

उस्ताद हँस पड़े। "अरे मगर वह बात तो बताओ।"

"हाँ।" सुक्कन सामनेवाले पलंग पर पाँव लटकाकर बैठती हुई बोली, "बाक़ी हम्में ओकी बात का यक़ीन तनिको जो होय।"

"अरे मगर बात तो बताओ।"

"उ कहती रही कि ओका बड़िका बेटा मुल्ला है ना..."

"हाँ।"

"ऊ कानी कहाँ से आता रहा कल रात को। त ऊ ख़ुद देखिस कि बड़के भय्या नद्दू के घर से निकलते रहे।"

कोई और अवसर रहा होता तो उस्ताद ने सुक्कन को 'बड़के भय्या' और 'नद्दू' कहने पर अवश्य डाँटा होता। परन्तु अवसर कोई और नहीं था। इसलिए वह 'बड़के भय्या' और 'नद्दू' को झेल गए। बोले, "मैं इस हरकत पर भाई साहब को कभी माफ़ नहीं करूँगा।'

"आप जय्यसा काठ का दिल शाइदे कोई और का हो ई दुनिया में। आपो त हमसे बिआह करके घर से निकाले गए! त नद्दू के दादा पर अभई तक चनचनाया करते हैं।"

"उन्होंने मुझे आपकी वजह से नहीं निकाला था। मैंने उन्हें बेगम बी की वजह से ख़ुद छोड़ दिया था।"

"ई सब दिल की ककुलत मिटाए की बात है। का हमसे बिआहे के बाद एक्को दिन बोले आपसे। कउनो ज़रूरी ना है कि सब जने दिलगीर जौनपुरीये हो जाएँ।" सुक्कन को गुस्सा आ गया। "आपो अपने अब्बा की मर्ज़ी के ख़ेलाफ़ बिआह किहिन रहा।

"मैंने किसी रंडी से ब्याह नहीं किया था।"

"अउर अल्ला न करे हम रंडी रहे होते तो?"

"बेहूदा बात न करो।"

"अच्छा घर में ई पहलवानी करे की त ज़रूरत है ना। इ तोहरा घर है। तूँ नद्दू को हियाँ भले मत बुलावो। बाक़ी हम आज जा रहें अपने बेटे से मिले।" सुक्कन गुस्से में बरसों का याद किया हुआ सबक भूल गई और 'आप' से 'तू' पर उतर आई।

"अगर तुम वहाँ गईं तो मैं तलाक़ दे दूँगा।"

"ई त तोरे घर का फैसन चला आ रहा। इहे आँगन में खड़े होके बुढ़ऊ बेगम बी को तिलाक़ दिहिन रहा। ख़बरदार जो फिर कभई तिलाक़ की धमकी दिओ। हमरा एक्कावन हज़ार का मेहर धरद्यो सीधे हाथ की हथेली पर और देद्यो तिलाक़। तूँ हम्में हमरे बेटे से छोड़ाए हो। हम क़यामत के दिन तोरा दामन ना पकड़े तब कहियो। बड़े आए हैं तिलाक़ देवेवाले। कल के देते आज देद्यो। हम जा रहें अपने बेटे के पास।"

"दुल्हन बी।"

"दुल्हन बी गईं चूल्हेभाड़ में।"

मसेन टेलर मास्टर की यह बेटी बड़ी तुनकमिज़ाज और हठीली थी। उसी वक़्त पलंग से उठी और एक चादर ओढ़कर घर से निकल गई।

उसे आवाज़ देना आरज़ू उस्ताद की शान के ख़िलाफ़ था।

सट्टी मसजिद का रास्ता उसे मालूम था। सट्टी मसजिद तो उसके मायके के रास्ते में थी और सामने ही उसके बाप की सिलाई की वह पुरानी दुकान थी जिस पर अब सुक्कन का एक भाई बैठता था। दुकान के पास से गुज़रते समय उसने यूँघट कर लिया। वह यह नहीं चाहती थी कि नद्दू के घर पहुँच जाने से पहले किसी को मालूम हो कि वह घर से निकल आई है।

उसने डरते-डरते कुंडी बजाई।

"कौन?" अन्दर से आवाज़ आई।

सुक्कन इस सवाल के लिए तय्यार नहीं थी। उसने सोचा भी नहीं था कि उसे इस सवाल का सामना करना पड़ेगा। उसने इमाम बाँदी की

आवाज़ नहीं सुनी थी। परन्तु वह यह समझ गई कि यह आवाज़ इमाम बाँदी की है।

उसने फिर कुंडी बजाई। "कौन?" अन्दर से फिर वही सवाल आया।

सुक्कन हैरान कि इस सवाल का जवाब क्या दे। वह यह सोच ही रही थी कि क्या करे कि दरवाज़ा खुल गया।

इमाम बाँदी को पैंतालिस-पचास साल की उस औरत में मियाँ की झुनुक दिखाई दी। उसका दिल ज़ोर-ज़ोर से धड़कने लगा।

"त तूँ ही हौ इमाम बाँदी?" सुक्कन ने कहा।

"जी हाँ। मगर मैंने आपको पहचाना नहीं।"

"ए घिया ई रंडियन की बोली तूँ अभईं तक ना छोड़यो हौ का?" सुक्कन ने देहलीज़ के अन्दर पाँव धरते हुए कहा, "नद्दू कहाँ है?"

इमाम बाँदी किसी नद्दू को नहीं जानती थी। मियाँ ने अब तक उसे यह नहीं बताया था कि दुल्हन बी उसे नद्दू पुकारती हैं।

"ख़ुदा ग़ारत करे दिलगीर जौनपुरी के पूत को।" सुक्कन ने जौनपुर का नाम यूँ लिया जैसे वह किसी शहर का नाम न हो बल्कि गाली हो।

जौनपुरी शेख़ों के इस ख़ानदान में जौनपुर का नाम गाली की तरह पहली बार लिया गया। वर्ना इस घराने में तो जौनपुर का नाम इस तरह लिया जाता था जैसे जौनपुर किसी शहर का नाम न हो बल्कि कुरआन की आख़िरी आयत हो।

और यूँ एक दिन चुपचाप जौनपुर से इस परिवार का नाता कंडे की तरह चट से टूट गया। ख़ुद सुक्कन को भी नहीं मालूम था कि सात-आठ सौ बरस पुराने रिश्ते को उसने यूँ तोड़ दिया है। यदि उसे यह मालूम रहा होता तो शायद वह डर गई होती, क्योंकि वह तोड़-फोड़ से बहुत घबराती थी। अभी तो उसे यह भी नहीं मालूम था कि वह अपने मियाँ 'आरज़ू' जौनपुरी से नाता तोड़ आई है।

वह आँगन में बिछे हुए एक बँसखट पर बैठ गई।

इमाम बाँदी हैरान आख़िर यह कौन औरत है, जो यूँ मालिकों की तरह घर में घुस आई है? उसे इस आनेवाली की यह हरकत बहुत बुरी लगी।

"मगर आप हैं कौन?" उसने ज़रा खुरदरे लहजे में पूछा।

"दुल्हन बी," यह नादिर मामूँ की आवाज़ थी।

इस पर दोनों औरतों ने चौंककर दरवाज़े की तरफ़ देखा। सुक्कन अपने नद्दू को देखकर खिल उठी। परन्तु इमाम बाँदी सन्नाटे में आ गई। और जब तक वह अपने-आपको सँभाले सुक्कन अपने नद्दू तक पहुँच गई और उसे लिपटाकर प्यार करने लगी और रोने लगी।

"आप रो क्यों रही हैं दुल्हन बी?"

"तोको ई घर में देखके मोसे हँसे ना जाता। आग लगे दिलगीर जौनपुरी की हवेली में।..." वह हाथ उठाकर अपने ससुर को कोसने लगीं।

"यह बी है दुल्हन बी," नादिर मामूँ ने इमाम बाँदी की तरफ़ इशारा किया, "आपकी बहू!"

"मोंसे का कह रह्यो बेटा," सुक्कन ने आँसू पोंछते हुए कहा, "दुलहिन से कहो कि हम एकी सास हैं। हम कुंडी बजावा त दुलहिन की आवाज़ आई कउन—" सुक्कन खिलखिलाकर हँस पड़ी।

"लेकिन बाबा ने आपको आने कैसे दिया?" नादिर मामूँ ने पूछा।

"बेटा की बात," सुक्कन बोली, "कहे लगे कि जउन अब हमरे घर में नद्दू का नाम लिहो तो हम तिलाक़ दे देंगे। हम कहा कि सीधी हथेली पर एक्कावन हज़ार मेहर रखके देद्यो तिलाक़। ई सुन के सिट्टी गुम हो गई मियाँ की। हम चद्दर ओढ़के एहर आ गए।"

यह सुनकर नादिर मामूँ सन्नाटे में आ गए। परन्तु वह सन्नाटे में इसलिए नहीं आए कि महँगाई में आटा गीला हो गया था बल्कि वह सन्नाटे में इसलिए आ गए कि उन्हें दुल्हन बी से बड़ा प्यार था और उन्हें मालूम था कि दुल्हन बी बाबा को कितना चाहती हैं।

"कचहरी से आकर बात की जाएगी।" सुक्कन से यह कहकर वह बी की तरफ़ मुड़ गए। "ज़रा जल्दी से खाना खिलवा दो। अव्वल वक़्त एक ज़रूरी मुक़दमा पेश होनेवाला है।"

"आप इसी वक़्त खाना खाएँगी या बाद में?" बी ने दुल्हन बी से पूछा।

"ए धीआ तूँ ई मरदन की बोली मत बोला करो।" सुक्कन ने अपने पहले बयान को ज़रा-सा बदल दिया।

नादिर मामूँ हँस पड़े। "अब तो आप आ ही गई हैं। इन्हें औरतों की बोली सिखा दीजिएगा।"

इमाम बाँदी मुस्कुराती हुई रसोईघर की तरफ़ चली गई। तब सुक्कन को कुछ याद आया। उसने इमाम बाँदी को आवाज़ दी—"दुलहिन!"

वह चावल निकाल रही थी। कफ़गीर को पतीली से टिकाकर वह बाहर आ गई। सुक्कन ने अपने कान में पड़े हुए जमुर्रुद के फूल उतारकर बहू के कान में पहना दिए। "घर से गुस्से में निकल आई रह्यूं। ख़याले ना आवा कि दुलहिन को मुँहदेखाई भी देवे को पड़िहे।"

"तसलीम।" इमाम बाँदी ने झुककर सलाम किया।

सुक्कन इसे इस 'तसलीम' पर भी टोकना चाहती थी परन्तु जाने क्या सोचकर चुप हो गई। इमाम बाँदी फिर रसोईघर की तरफ़ चली गई और नादिर मामूँ ने उसकी गरदन में बाँहें डाल दी तो वह सास की सीमा पार करके ममता की सीमा में आ गई।

"ई तोरा का हाल हो गवा है आख़िर?" सुक्कन ने पूछा।

"क्या हाल बना लिया है मैंने?" सुक्कन से नद्दू ने पूछा।

"तनी शीशा देख बेटा," सुक्कन बोली, "तोरा ईहे हाल रहा त दुलहिन से हमारी ना पटिहें। हम साफ़ कहै दे रहे हाँ...ाँ।"

ज़ाहिर है सुक्कन का यह मतलब नहीं था। यह कहकर वह मुस्कुरा दी और पानदान सरकाकर अपने लिए पान लगाने लगी।

नादिर मामूँ जल्दी-जल्दी खाना निगलकर कचहरी चले गए और मुसम्मात शोभा देवी ब-नाम लाला सालिगराम की मिसिल उलटने-पलटने लगे। परन्तु उनका दिमाग़ तो मुसम्मात सुक्कन बीबी ब-नाम 'आरजू' जौनपुरी की मिसिल उलट-पलट रहा था। चुनाँचे अब्बा माँगते अर्जी दावे की नक़्ल तो मामूँ देते बै-नामे की दस्तावेज़।

"मियाँ नादिर, तुम्हें हो क्या गया है?"

ज़ाहिर है कि मियाँ नादिर के पास इस सवाल का जवाब नहीं था क्योंकि उन्हें ख़ुद यह नहीं मालूम था कि उन्हें हो क्या गया है। वह तो केवल यह सोच रहे थे कि कितना अच्छा हो कि जब घर पहुँचें तो पता चले कि बाबा आए और दुल्हन बी को मना ले गए। उन्हें मालूम था कि यह असम्भव है। आरजू साहब उसके घर आ ही नहीं सकते। फिर भी वह दिन भर इसी ख़याल से जी को बहलाए रहे। परन्तु शाम को घर पहुँचकर दुल्हन बी को इमाम बाँदी से बातें करते देखा तो उन्हें कोई आश्चर्य नहीं हुआ।

दुल्हन बी इमाम बाँदी को चने का हलवा बनाने की तरकीब समझा रही थीं। और उनके हाथ उनकी ज़बान से बेपरवाह बच्चे के लिए दोहरी सीने में लगे हुए थे।

मामूँ बस्ते को चारपाई पर फेंककर वहीं ज़मीन पर दुल्हन बी के साथ बैठ गए।

उनके यूँ लिपटकर बैठ जाने ने यह तै कर दिया कि अब वह दुल्हन बी को बाबा के घर नहीं जाने देंगे। और जब यह तै हो गया तो उन्होंने जेब में हाथ डाला और दिन भर की कमाई माँ के पैरों पर पूजा के फूलों की तरह चढ़ा दी। तीन रुपये।

"तैं पगला गया है का," सुक्कन बोली, "हम्में काहे को दे रहा अपनी कमाई। दुलहिन को दे।"

"आपके होते मेरी क्या हैसियत हो सकती है?" बी ने कहा।

"ए दुलहिन तो हमसे ई मुसटंडन जऽयसी खड़ी बोली मत बोला करो।"

लेकिन इमाम बाँदी को तो यही मुसटंडो जैसी खड़ी बोली सिखलाई गई थी और यूँ सिखलाई गई थी कि उसे वह भाषा आती ही नहीं थी जिसमें गोरखपुर की मिट्टी की सुगन्ध है।

कभी-कभी इमाम बाँदी का जी बहुत चाहता था कि वह अपने शहर की भाषा बोले। वह चुपचाप एक दिन रसोईघर में गई और खाना पकानेवाली औरत बवातन के पास जाकर बैठ गई थी।

"हम्में भूक लगी है।" वह इतना ही बोल पाई थी कि माँ के तमाचे ने उसकी बात काट दी थी। "ख़बरदार जो तू फिर यह गँवारों की बोली बोली।"

वह दिन और आज का दिन इमाम बाँदी ने फिर वह बोली बोलने की कोशिश नहीं की। और अब यह सामने बैठी हुई औरत उससे उसी बोली में बात करने को कह रही थी।

सुक्कन बी के लिए इमाम बाँदी के दिल के तमाम किवाड़ खुल गए और मुहब्बत की तेज़ हवा चलने लगी। यह हवा उसकी आँखों में भर गई और उसकी आँखों में जाकर यह हवा आँसू बन गई।

सुक्कन की समझ में जब इमाम बाँदी के आँसू न आए तो उसने इमाम बाँदी को लिपटा लिया।

"हमरी बात का बुरा मत माना करो दुलहिन," वह बोली, "हमरे में इहे तो बुरी आदत है।"

"मैंने बुरा नहीं माना है दुल्हन बी," उसने कहा, "जो ज़बान बोलने का आप हुक्म दे रही हैं वह ज़बान मुझे आती ही नहीं।"

"अरे दुलहिन झाड़ू मारौ ज़बान को। चूल्हे-भाड़ में जाए ऊ ज़बान जो हमारी दुलहिन को रोलाए।"

"अरे भई क्या मैं आ जाऊँ?"

बर्क़ साहब की आवाज़ सुनकर वह घर चौंक पड़ा। इमाम बाँदी ने जल्दी-जल्दी अपने आँसू पोंछ डाले। वह तो जब उसने सुक्कन को आँखें साफ़ करते देखा तब उसे पता चला कि वह भी रो रही थी।

दोनों औरतों ने उठकर बर्क़ साहब को सलाम किया।

"जीती रहो।" बर्क़ साहब ने कहा।

सुक्कन को उनसे यह दुआ पहली बार मिली थी। बर्क़ साहब ने आज तक सुक्कन से बात नहीं की थी। दिलगीर साहब तो सुक्कन का बहुत ख़याल रखा करते थे। परन्तु बर्क़ साहब ने सुक्कन को स्वीकार नहीं किया था।

"अच्छी तो हो दुल्हन बी।" बर्क़ साहब ने ख़ुद ही वह दीवार गिरा दी।

"अ का अच्छे हैं बड़के भय्या।"

"लाहौल विलाक़ूवत," बर्क़ साहब बोले, "न ज़िन्दगी भर बेगम बी ने अपनी ज़बान सँभाली न तुमने अपनी।" यह कहते-कहते उनकी निगाह उस दोहरी पर पड़ी। इमाम बाँदी लाज से लाल भभूका हो गई।

"तुम्हारे पहलवान कैसे है?" वह पलंग पर बैठते हुए बोले। इमाम बाँदी दालान में से एक लिपटा हुआ बिस्तर उठा लाई। वह बिस्तर पर टिककर बोले, "तुमने बताया नहीं?"

"अ हम का बताएँ। ऊ हमरे से ढेर त आपके हैं।"

"काट में तुम्हारा जवाब नहीं," बर्क़ साहब हँसे, "और क्यों न हो, मसेन की बेटी जो हो।" ऐसा नहीं कि बर्क़ साहब को यह याद न रह गया हो कि मसेन टेलर मास्टर उनके ख़ालू थे। परन्तु इन्होंने कभी मसेन को यह आदर नहीं दिया। ख़ालू होने के बाद भी वह मसेन का मसेन रहा—एक दर्ज़ी।

शुरू-शुरू में तो सुक्कन को यह बात बुरी लगा करती थी। ख़ुद आरजू साहब भी अपने ख़ालू और ससुर को मसेन ही कहा करते थे।

सुक्कन ने दबी ज़बान से कई बार मियाँ को टोका परन्तु मियाँ ने उसे टाल दिया। फिर धीरे-धीरे उसे यह सुनने की आदत पड़ गई। इसीलिए उसने बर्क़ साहब की बात का बुरा नहीं माना बल्कि तड़ से बोली, "का मैं झूठ कह रह्यूँ?"

"मगर तुम्हें यहाँ आने की इजाज़त कैसे मिल गई?"

"अब मैं कुछ कह दीहों त आप तड़ देना कह दीजिएगा का ज़बान लड़ा रही।"

"नहीं, नहीं कहो।"

"हम त ख़ैर कोऊ तरह आ गए। बाक़ी आप कय्यसे आ गए?"

"मैंने क्या तुम्हारी वजह से म्याँ आरजू को छोड़ दिया था जो तुम यह सवाल कर रही हो।"

"ई त हम्में मालूम है कि अपने भाई को आप हमरे कारण ना छोड़िन हैं। हवेली और जायदाद के वास्ते छोड़िन हैं।"

वार इतना गहरा था कि बर्क़ साहब खिलखिलाकर हँस पड़े।

इमाम बाँदी चाय बनाने चली गई। नादिर मामूँ इजाज़त लेकर मुँह-हाथ धोने चले गए। सुक्कन अपने जेठ श्री सुबहानउल्लाह बर्क़ जौनपुरी के साथ अकेली रह गई।

सुक्कन ने यह बात कभी नहीं बताई कि बर्क़ साहब से उसकी क्या बातें हुईं। परन्तु मुझे यह मालूम है कि इमाम बाँदी चाय लेकर आई तो सुक्कन रो रही थी और बर्क़ साहब ख़फ़ा दिखाई दे रहे थे और वह कह रहे थे :

"लगता है कि म्याँ आरजू का दमाग़ चल गया। तलाक़ क्या खिलवाड़ है। म्याँ नादिर ने कोई गुनाह नहीं किया है। शादी की है।" उनकी निगाह आते हुए नादिर मामूँ पर पड़ गई। "और तुमने चुपचाप दुल्हन बी की यह ज़िल्लत गवारा भी कर ली।"

"दुल्हन बी से अभी मेरी बात नहीं हुई है।"

"अमाँ बात क्या करनी है।" इमाम बाँदी ने चाय बढ़ा दी। उन्होंने प्याली थामते हुए उसे दुआ दी, "जीती रहो।" फिर वह नादिर मामूँ को घूरने लगे। "तुम आज ही दुल्हन बी को लेकर म्याँ बशीर के वहाँ जाओ और देन-मेहर का दावा कर दो।"

"ई आप का कह रहें बड़के भय्या!" सुक्कन घबरा गई।

"करने न करने का तो तुम्हें इख़्तियार है दुल्हन बी। मेरा काम समझाना था। मैंने समझा दिया। क्या तुम यह चाहती हो कि हमारा पोता इस ज़टियल मकान में पैदा हो?"

यह बात सुक्कन के दिल में तीर की तरह उतर गई।

"अल्ला न करे कि हमारा पोता ई कोलकी में पैदा हो," सुक्कन ने तड़पकर कहा, "इ बात कहे में आपका दिल ना धुक्का।"

"तो क्या तुम यह सोच रही हो दुल्हन बी कि म्याँ आरजू यहाँ आएँगे और हाथ-पाँव जोड़कर तुम लोगों को ले जाएँगे?"

यह बात भी ठीक थी। सुक्कन जानती थी कि आरजू साहब उस घर की दहलीज़ तक नहीं आ सकते जिसमें इमाम बाँदी ब्याहता बनकर बैठी हो।

"ठीक है," सुक्कन ने फ़ैसला कर लिया, "जौ अल्लाह को ई हे मंजूर है ई हे हो जाए।"

बेचारी सीधी-सादी सुक्कन को यह पता भी नहीं था कि उसके इस सीधे-सादे जुमले में किस बला की ताक़त है। जो उसे मालूम रहा होता कि उसका यह फ़ैसला जौनपुरी शेख़ों के इस ग़ाज़ीपुरी परिवार और इतिहास की चूलें हिला देग़ा तो शायद वह इन शब्दों को निगल गई होती।

बर्क़ साहब ने उसे मौक़ा भी नहीं दिया। वह मुक़दमे की तय्यारी में लग गए। गवाहों के बयान, वकीलों की जिरह और उनकी बहस से लेकर अदालत के फ़ैसले तक तमाम बातें जैसे उन्हें ज़बानी याद थीं।

उनकी बात के जादू ने सुक्कन, इमाम बाँदी और नादिर तीनों ही को मोह लिया।

वह छोटा-सा किराये का मकान उस दालानों-दर-दालानों हवेली में डिज़ाल्व हो गया और सुक्कन ने देखा कि जाड़ों की एक दोपहर है। आरजू साहब लम्बे-चौड़े आँगन में बिछे हुए एक खुर्रे पलंग पर लेटे हुए हैं। पोता उनके पेट पर बैठा बेमानी आवाजें निकाल रहा है। वह ख़ुद आँगन के किसी और कोने में हैं कि यकायक मियाँ की कहकहे भरी चिंघाड़ की आवाज़ आती है : "बी, देख लो अपने बेटे की हरकत, सूअर ने पेशाब कर दिया।"

सुक्कन इस सपने की भूलभुलैया में चली गई और बर्क़ साहब की आवाज़ दूर होती चली गई। फिर उनकी आवाज़ इतनी दूर चली गई जैसे कोई पड़ोसवाले घर में बोल रहा हो।

...मैं बर्क़ साहब से कभी नहीं मिला, वरना मैं उनसे पूछता कि साहब आपने एक मसनवी 'तलाक़नामा' क्यों न लिखी? मुझे यक़ीन है कि जो उन्होंने मसनवी 'तलाक़नामा' लिखी होती तो हिम्मत जौनपुरी ने 'मसनवी दर्दे-नवबहार यानी क़िस्सये रामो-सीता' और 'मसनवी गोहरेआबदार यानी करबला कथा' के साथ-साथ इस 'मसनवी तलाक़नामा यानी क़िस्सये नादिरो-इमाम बाँदी' को भी प्रकाशित किया होता और तब हमें यह देखने में और आसानी होती कि इस जौनपुरी परिवार की जड़ें ग़ाज़ीपुर की ज़मीन में इतनी धँसी हुई हैं जैसे 'ऐ मन' के स्वर हमारे संगीत में। यह बात मैं इसलिए कर रहा हूँ कि कविता मनुष्य की आत्मा है। श्री हिम्मत जौनपुरी भले ही जीवन भर अपने आपको जौनपुरी कहते रहे परन्तु उनकी और उनके बाप-दादा और परदादा की कविता यह बताती है कि ये लोग ग़ाज़ीपुर के थे। 'दिलगीर' जौनपुरी की मसनवी ही की तरह 'बर्क़' जौनपुरी की 'मसनवी दर्दे नवबहार यानी क़िस्सये रामो-सीता' में भी एक पूरा हिस्सा 'दरबयाने-ग़ाज़ीपुर' मौजूद है। इन

मसनवियों में दूर-दूर कहीं जौनपुर की परछाईं नहीं है और न कहीं यही पता चलता है कि ये कवि शरणार्थी थे।

अब जिस 'बर्क़' जौनपुरी की मसनवी में इस प्रकार के शेर हों उन्हें मैं जौनपुरी कैसे मान लूँ?

गंगा मेरे घर की ज़िन्दगी है।
गंगा मेरी माँ की ओढ़नी है॥
गंगा मेरे दिल की दास्ताँ हैं।
गंगा मेरी मादरी-ज़बाँ है॥

गोमती जैसे फटीचर दरिया के किनारे बसे हुए किसी नगर का कोई गंगा के बारे में यह सोच भी नहीं सकता। बर्क़ साहब भी गंगा के बारे में बिलकुल मेरी तरह सोचते थे। इसलिए या तो मैं भी जौनपुरी हूँ या फिर हिम्मत जौनपुरी भी जौनपुरी नहीं थे। आठ सौ बरस पहले हिम्मत के पुरखे अवश्य जौनपुर में रहा करते थे। तीन-चार हज़ार बरस पहले गुरुजी गोलवालकर के पुरखे भी ईरान में रहा करते थे और उससे पहले मध्य एशिया में रहा करते थे। भूतकाल की गवाही देकर वर्तमान को झुठलाना कोई अच्छी बात नहीं है। जौनपुरी शेख़ों का यह ख़ानदान ज़िन्दगीभर अपने आप से झूठ बोलता रहा। परन्तु जब इम्तिहान की घड़ी आई तो पता चला कि जौनपुर एक झूठ था। आठ सौ बरस पहले जहाँ इन लोगों की हवेली हुआ करती थी वहाँ जौनपुर का रेलवे स्टेशन खड़ा है। मुसाफ़िर आ रहे हैं और मुसाफ़िर जा रहे हैं और कोई यह नहीं सोचता कि जहाँ उसने धमा-चौकड़ी मचा रखी है वहाँ सात-आठ सौ साल पहले एक आँगन हुआ करता था जिसमें शैख़ानियाँ रहा करती थीं। 'आरजू' जौनपुरी मुक़दमा हारें या जीतें उन्हें रहना ग़ाज़ीपुर ही में है क्योंकि यह केवल उनका ख़याल है कि वह ग़ाज़ीपुर के नहीं हैं बल्कि जौनपुर के हैं। न जौनपुर को यह याद होगा कि उनके पुरखे वहाँ कब

रहा करते थे और न ग़ाज़ीपुर को यह याद होगा कि उनके पुरखे यहाँ कब आए? पानी जहाँ बरसता है वहीं का हो जाता है। बरसात वहीं की होती है। और यह कोई नहीं सोचता कि ये बादल बंगाल की खाड़ी या अरब सागर से आए हैं। यह बात महत्त्वपूर्ण नहीं कि बादल कहाँ से आ रहे हैं। महत्त्व तो इसका है कि वे बरस कहाँ रहे हैं। क्या हम केवल इसलिए इन बादलों को लौटा दें कि ये हमारे देश की सीमा के बाहर से आ रहे हैं? देशों की सीमाएँ इतनी छोटी नहीं होतीं। हिम्मत ही के पुरखों की तरह, मेरे और गजानन्द के पुरखे भी कहीं से आकर ग़ाज़ीपुर में बसे थे। परन्तु हम अपने को देहलवी या राजस्थानी (मेवाड़ी या मारवाड़ी) नहीं कहते। हम ग़ाज़ीपुरी हैं। दिल्ली की चिकनी चौड़ी सड़कों से मुझे क्या लेना-देना। मैंने तो ग़ाज़ीपुर की टूटी-फूटी सड़कों से चलना सीखा है। हाय! मैं किसी दिल्ली के लिए उन सड़कों से नाता कैसे तोड़ लूँ।

यदि आप किसी बड़े शहर में रह रहे हों तो इससे कोई फ़र्क़ नहीं पड़ता कि आप इस शहर के हैं या नहीं। परन्तु यदि आप किसी पुराने छोटे शहर में हों तो जीना मुश्किल हो जाता है। ग़ाज़ीपुर में एक पारसी की दुकान है। वह दुकान मेरी पैदाइश से खुली थी। परन्तु वह अब भी पारसी की दुकान कही जाती है। वह कोई बहुत बड़ी दुकान नहीं है। परन्तु ग़ाज़ीपुर का बच्चा-बच्चा उस दुकान को जानता है क्योंकि वह पारसी परिवार अजनबी है। वह ग़ाज़ीपुर का नहीं है। आप अपने घर में जाएँ तो आपको पता भी नहीं चलेगा कि आँगन में कौन-कौन बैठा है। परन्तु यदि कोई ग़ैर बैठा होगा तो आपकी नज़र टक से उसी पर जाएगी और आप ठिठक जाएँगे। ग़ैरों को देखने के लिए हमारी आँखें बहुत तेज़ होती हैं। वह पारसी ग़ैर है। उसके दुख-दर्द का हमें पता नहीं चलता और अपने दुख-दर्द में हम उसे शरीक़ नहीं करते। परन्तु हिम्मत के घरवालों के साथ ग़ाज़ीपुर ने यह सलूक नहीं किया। ये लोग कहते रहे कि हम

ग़ैर हैं। परन्तु ग़ाज़ीपुर इनके दुख-दर्द में शरीक़ भी हुआ और उसने इन्हें अपने दुख-दर्द में शरीक़ भी किया। जो ऐसा न होता तो मैं हिम्मत जैसे फटीचर आदमी की जीवन-कथा लिखने क्यों बैठता? लालबहादुर शास्त्री या ज़ाकिर साहब की जीवन-कथा लिखकर पैसे न कमाता!

यह हिम्मत कितना बदनसीब था कि जौनपुर ने उसे अपनाया नहीं और वह ग़ाज़ीपुर को अपनाने पर तय्यार नहीं था। इस अहमक ने तो कोई 'मसनवी दरबयाने-क़िस्सये-इश्क़े-रामो-सीता' भी नहीं लिखी कि कोई उसके 'दरबयाने-ज़ेबुन' वाले हिस्से को मसनवी से अलग करके पाकिस्तान में छाप लेता और भूमिका में यह साबित कर देता कि हिम्मत ग़ाज़ीपुर के नहीं बल्कि जौनपुर के थे। आख़िर एक पाकिस्तानी जौनपुरिये ने 'दिलगीर' जौनपुरी की मसनवी से 'दरबयाने-बेगम' वाले हिस्से को छापकर यह साबित कर ही दिया ना कि वह जौनपुरी थे। अभी कुछ दिनों पहले कोई बता रहा था कि एक पाकिस्तानी ग़ाज़ीपुरिया पीएच.डी के लिए इस विषय पर थीसिस लिख रहा है कि 'दिलगीर' जौनपुरी वास्तव में ग़ाज़ीपुरी थे और जौनपुर दरअस्ल चौहानपुर की बिगड़ी हुई शक्ल है जो एक ज़माने में पहितिया के पास एक गाँव हुआ करता था। पाकिस्तान तो आप जानिए ख़ुदा की बस्ती है। वहाँ कुछ भी साबित किया जा सकता है। हम-आप तो एक साधारण देश के रहनेवाले हैं और हम यूँ अंट-शंट बातें साबित नहीं कर सकते। देखिए ना 'दिलगीर' के बारे में दोनों झूठ बोल रहे हैं। जो यह कहता है कि वह जौनपुरी थे वह भी झूठा है और जो यह कहता है कि वह ग़ाज़ीपुरी थे और जौनपुर चौहानपुर की बिगड़ी हुई शक्ल है जो कभी एक गाँव हुआ करता था पहितिया के पास, वह भी झूठा है क्योंकि चौहानपुर नाम का गाँव ग़ाज़ीपुर में कभी था ही नहीं। परन्तु एक झूठे को पीएच. डी. मिल चुकी है और दूसरे को मिल जाएगी।

पड़ोसवाले कैसे-कैसे काम कर रहे हैं, और मैं इस फ़िक्र में दुबला हुआ जा रहा हूँ कि मुझे बर्क़ साहब से मिलने का मौक़ा मिला होता तो

मैं उनसे पूछता कि साहब आपने एक मसनवी 'तलाक़नामा' क्यों नहीं लिखी। परन्तु इसमें कोई शक नहीं कि यदि बर्क़ साहब ने यह शोशा न छोड़ा होता तो तलाक़ा-तलाक़ी की नौबत न आई होती। क्योंकि सुक्कन उन बीवियों में से नहीं थी जो तलाक़ माँगती फिरती हैं। नादिर मामूँ उन बेटों में से नहीं थे जो अपनी माँ के देन-मेहर के मुकदमों की पैरवी करते दिखाई देते हों। परन्तु बर्क़ साहब का जादू चल गया।

यह उन दिनों की बात है जब अब्बा स्टीमर घाट पर किराये के एक मकान में रहा करते थे। वह मग़रिब की नमाज़ पढ़कर रात का खाना खा चुके थे। बीच के कमरे में जमावड़ा था। अम्मू[1] डेढ़-पौने दो साल के भाई साहब[2] को अपनी तोंद पर बिठलाए उनसे गप लड़ा रहे थे। दद्दा एक दलाई ओढ़े अब्बा के पास बैठी अम्माँ की शिकायत कर रही थीं और अम्माँ मुस्कुरा रही थीं कि सुक्कन एक चादर ओढ़े घर में आई।

"नसीबा!" दरवाज़े से नादिर मामूँ की आवाज़ आई, "बाजी से कह दो कि मेरी वालेदा आई हैं।'

मामूँ को मालूम था कि नसीबा अपने घर जा चुकी होगी। परन्तु अपनी भी आमद का एलान करने की कोई और तरकीब उन्हें उस समय न सूझी।

यह आवाज़ सुनकर अम्माँ कमरे से निकल आईं।

"ख़ाला आदाब।"

यह आदाब मेरी पैदाइश के ठीक पाँच महीने दस दिन पहले किया गया था। इसलिए ज़ाहिर है कि मैंने ख़ुद न सुक्कन को घर में आते देखा था और न अम्माँ को यूँ सलाम करते सुना था। ये बातें मुझे बहुत बाद में मालूम हुईं, बहुत बाद में यानी जब मैंने श्री हिम्मत जौनपुरी की जीवनकथा लिखने का इरादा किया। और जब मैंने यह किताब लिखने

1. मेरे स्वर्गवासी चचा
2. मेरे बड़े भाई

का इरादा किया तो अब्बा के सिवा इस वाक़िये के सारे चश्मदीद गवाह मर चुके थे। मुझे यह बातें ख़ुद बी से मालूम हुईं और बी को ये बातें ख़ुद सुक्कन ने बताई थीं। वह अम्माँ से बहुत ख़ुश लौटी थीं। अब्बा को तो केवल इतना याद है कि मुसम्मात सुक्कन एक दावा करवाने आई थीं (ये वकील औरतों को मुसम्मात बनाने में अपना जवाब नहीं रखते)। अब्बा को तो यह भी याद नहीं कि जिस समय सुक्कन आई थी उस समय दद्दा उनसे अम्माँ की शिकायतें कर रही थीं और अम्मू भाई साहब से गप लड़ा रहे थे।

लेकिन यह सबको याद है कि सुक्कन उसी रात से हम लोगों की सुक्कन नानी हो गईं। क्योंकि अम्माँ ने उन्हें कमरे में लाते ही बाजी से कहा :

"नानी को सलाम करो।"

बाजी को नन्ना याद थीं। उन्होंने उस औरत को गौर से देखने के बाद सवाल किया :

"नन्ना अय्यसी काहे को हो गई है?"

अम्मू यह सुनकर हँस पड़े। उनकी ज़बरदस्त हँसी ने भाई साहब को डरा दिया और वह ज़ोर-ज़ोर से रोने लगे। सुक्कन दद्दा को सलाम करके नमाज़ के तख़्त के एक कोने पर बैठकर अपनी चादर उतारने लगीं।

"आप का मिज़ाज कैसा है?" अब्बा ने पूछा, "और आरजू साहब कैसे हैं।"

"ऐ बेटा तूँ उनसे हमारा देन मेहर दिलवा द्यो।"

कमरे में सन्नाटा हो गया। न जाने क्या सोचकर भाई साहब ने भी रेरिआना बन्द कर दिया।

"आप चाहती हैं तो मैं दावा कर दूँगा लेकिन इन मुकदमों में बरसों लग जाते हैं। नाम नफ़क़े का दावा कीजिए तो गुज़ारा मुकर्रर करवा दूँगा।"

“हम्में ऊ बुहार गए का नाम नफ़क़ा ना चाहिए। हम्में अपना देन मेहर चाहिए।”

चुनाँचे दावा हो गया।

परन्तु आरजू साहब को इस दावे का पता उस दिन चला जिस दिन उनके घर समन आया।

दर अदालत जनाब मुंसिफ़ ग़ाज़ीपुर
मुसम्मात सकीना उर्फ़ सुक्कन बीबी
ब नाम
शेख़ बरकतुल्लाह ‘आरजू’ जौनपुरी...

आरजू साहब सन्नाटे में आ गए। उस्ताद कल्लू का कहना है कि उस समन ने उन्हें बूढ़ा कर दिया। उस दिन उनकी ज़िन्दगी में दूसरा अवसर ऐसा आया कि वह शायर होते-होते रह गए। यह कोई मामूली घटना न थी। लैला ने मजनूँ और हीर ने राँझा के ख़िलाफ़ देन मेहर का दावा कर दिया। इससे बहुत छोटी घटना ने लोगों को इमाम बख़्श ‘नासिख़’, अली सरदार जाफ़री, मुईन अहसन ‘जज़्बी’, ‘बेकल’ उत्साही और ‘अनवर’ मिरज़ापुरी बना दिया, परन्तु ‘आरजू’ जौनपुरी बाल-बाल बच गए। वह समझ गए कि इस दावे में बर्क़ साहब का हाथ है। जो उन्होंने यह न सोचा होता तो शायद इस कहानी की धारा का रुख़ कुछ बदल गया होता।

वह गुस्से में समन को फाड़ते-फाड़ते रह गए। और उन्होंने समन को बड़े एहतियात से तह करना शुरू किया जैसे वह कोई समन नहीं बल्कि कोई महत्त्वपूर्ण ख़ानदानी दस्तावेज़ हो।

उस रात को अपनी जीवन-भर की परम्परा के विरुद्ध वह घर से निकले और मौलवी इसमाईल के घर गए। ये मौलवी इसमाईल साहब कोई मौलवी नहीं थे, बल्कि वकील थे।

"भई यह दावा सही है," उन्होंने वकील साहब से कहा, "लेकिन बात आ पड़ी है। इसलिए मैं एक पैसा नहीं देना चाहता उस हरामज़ादी को। वह दावा न करती तो मैं घर-बार बेचकर मेहर अदा कर देता। ख़ैर यह तो एक क़र्ज़ है और अदा तो मैं करूँगा, लेकिन यह मुक़दमा जीत कर।"

हाजी मौलवी मुहम्मद इसमाईल बी. ए., एल. एल. बी., वकील, हाई कोर्ट ने सोचना शुरू किया। उन्हें सोचता देखकर आरजू साहब ने दस रुपये का एक नोट उनके सामने रख दिया तो उन्होंने और सोचना शुरू किया। आख़िर बोले :

"कुछ याद आता है कि जिन दिनों बर्क़ साहब से तुम्हारी मुक़दमेबाज़ी हो रही थी, उन दिनों—" वह अपनी बात पूरी किए बिना उठ गए और मिसिलों के अंबार में कोई मिसिल तलाश करने लगे। आख़िर वह मिसिल मिल गई। वह उस मिसिल समेत फिर अपनी कुरसी पर लौट आए और चुपचाप उस बस्ते को उलटने-पलटने लगे। आख़िर उन्हें चार सादे फुलस्केप काग़ज़ मिले जिन पर किसी का अँगूठा लगा हुआ था। उन काग़ज़ों को देखकर वह मुस्कुरा दिए। बोले :

"दो हज़ार ख़र्च कर सकते हो?"

"दो हज़ार?"

"मियाँ आरज़ू, दीवानी का मुक़दमा है। दस बरस भी चला तो सात-आठ हज़ार के फेंटे में आ जाओगे। और मैं पहली पेशी पर मुक़दमा ख़ारिज करवाने की बात कर रहा हूँ।"

"जैसा आप फ़रमाएँ।"

हाजी मौलवी मुहम्मद इसमाईल बी. ए., एल. एल. बी. (अलीगढ़), वकील, हाई कोर्ट मुस्कुराए और बोले :

"जहाँ तक मुझे याद आता है इसी मुक़दमे के ज़माने में नादिर की वालेदा ने मेहर माफ़ कर दिया था।"

"जी नहीं। उसने मेहर माफ़ कर दिया होता तो यह दावा कैसे करती। ज़लील ख़ून कभी न कभी बोलता ज़रूर है।"

हाजी साहब फिर मुस्कुराए और बोले, "तुम्हें तो कुछ याद नहीं रहता। बहरहाल कल-परसों तक रुपया लेकर आ जाना।"

बात ख़त्म हो गई।

आरज़ू साहब के पास दो हज़ार नक़द तो थे नहीं। इसलिए उन्होंने महावीर प्रसाद से उधार लेकर दो हज़ार हाजी साहब पर चढ़ा दिए।

जिस दिन मुक़दमा शुरू होनेवाला था उस दिन बर्क़ साहब ख़ुद सुक्कन को लेकर कचहरी गए। वह चाहते तो सुक्कन का बयान लेने के लिए कमीशन भी आ सकता था। परन्तु वह तो आरज़ू साहब को एक सबक़ पढ़ाना चाहते थे।

आरज़ू साहब ने भाई को देखा तो इसके सिवा चारा न रहा कि वह उन्हें सलाम करें।

"जीते रहो।"

मुक़दमा शुरू हुआ।

अब्बा ने सुक्कन नानी का बयान करवाया। हाजी साहब ख़ानदान के बड़े-बूढ़ों की तरह खड़े मुस्कुराते रहे। सुक्कन नानी के बयान के ख़त्म होने के बाद अदालत से बोले :

"हुजूरे-वाला मैं ख़ामख़ाह अदालत का वक़्त ख़राब करना नहीं चाहता। हम तसलीम करते हैं कि मुद्दइया का यह कहना सही है कि उसका मेहर का इक्यावन हज़ार बँधा था। और अगर उसने मेहर माफ़ न कर दिया होता तो यह दावा दुरुस्त होता और मुद्दालेह देनदार होता..."

"मोको अल्लाह को मुँह ना दिखावे को है का कि माफ़ करके दावा कर दिए हौं," सुक्कन नानी ने तनककर कहा, "जना रहा कि आप बिलकुले सठिया गए हैं।"

हाजी साहब के साथ मुंसिफ़ ग़ाज़ीपुर भी मुस्कुरा दिए। हाजी साहब

ने एक पुराना काग़ज़ मुंसिफ़ साहब के सामने बढ़ा दिया। मुंसिफ़ साहब ने उसे पढ़ना शुरू किया :

...मन कि मुसम्मात सकीना बीबी उर्फ़ सुक्कन बीबी ज़ोजाशेख़ बरकतुल्लाह आरज़ू वल्द शेख़ शुजाअत अली दिलगीर जौनपुरी साकिन मुहल्ला सय्यदबाड़ा थाना कोतवाली की हूँ।...

यह बात सारा शहर जानता था कि हाजी साहब ने जो काग़ज़ अदालत के सामने पेश किया है वह झूठा है। परन्तु क़ानून तो काग़ज़ देखता है। यह साबित हो गया कि अँगूठा सुक्कन ही का है। दो मुअज्जिज़ गवाह गुज़ार दिए गए जिनके सामने वह काग़ज़ लिखा गया था और जिन्होंने उस काग़ज़ पर दस्तखत किए थे। और सुक्कन बी मुक़दमा हार गईं। और तब हाजी साहब ने कहा, "लेकिन हुज़ूरे-वाला मेरा मोवक्किल यह नहीं चाहता कि उसकी ज़ौज मनकूहा[1] की बाक़ी ज़िन्दगी तकलीफ़ में गुज़रे इसलिए मेरा मोवक्किल ता-हयात[2] पाँच रुपया महीना देते रहने का हलफ़ उठाता है।"

यह पाँच रुपये महीने की बात बर्क़ साहब के लिए थी।

मुक़दमा ख़त्म हो गया। यह बड़ी दिलचस्प बात है कि जिस दिन यह मुक़दमा ख़त्म हुआ, उसी दिन बरसात की सड़ी हुई दोपहर में श्री शेख़ मुबारक अली हिम्मत पैदा हुए। सुक्कन नानी जब भी हिम्मत की पैदाइश की बात करतीं तो इस मुकदमे का हवाला देतीं। और फिर उनकी आँखें एक कच्ची मिट्टी के घड़े की तरह रिसने लगतीं। बात यह है कि उन्हें शेख़ बरकतुल्लाह 'आरज़ू' जौनपुरी से बड़ा प्यार था। परन्तु वह उस दिन के बाद से फिर 'आरज़ू' जौनपुरी के घर न गईं। आरज़ू साहब जब तक ज़िन्दा रहे महीने की पहली को अब्बा के पते पर दुल्हन बी के नाम पाँच रुपये का मनीऑर्डर करते रहे। अब्बा के पते पर इसलिए

1. धर्मपत्नी
2. जीवनभर

कि वह अपने क़लम से शेख़ सलामत अली 'नादिर' जौनपुरी का पता लिखना नहीं चाहते थे।

परन्तु वह छूट गए सस्ते। उन्हें केवल पन्द्रह रुपया ख़र्च करना पड़ा। मुक़दमा जीतने के तीन महीने बाद उन्हें साँप ने काट लिया और वह चल बसे।

यह उनकी वसीयत थी कि बर्क़ साहब और नादिर मामूँ उनके जनाजे में शरीक़ न हों। इसलिए उनका जनाज़ा मुहल्लेवालों ने उठाया। सात बहनों में से पाँच पहले ही मर चुकी थीं। बाक़ी दोनों बहुत दूर थीं। एक देहली में थी और दूसरी कानपुर में।

लेकिन फिर वह हुआ जो कभी शहरवालों ने सोचा भी न था। नादिर मामूँ तो अपने दो रुपये किरायेवाले मकान में बाप का सोग कर रहे थे, सुक्कन नानी सन्नाटे में आ गई थीं और रो भी नहीं पा रही थीं। इसलिए उन्हें पता भी न चला कि क्या हुआ। लेकिन उस्ताद कल्लू जब इस घटना की बातें करते थे तो हमेशा उनका नशा टूट जाया करता था : 'वह साला भाई था। इधर भाई की लाश निकली और उधर उसने घर पर क़ब्ज़ जमा लिया।'

बात भी बिलकुल सही यूँ ही हुई थी। मैंने नज्जू ख़ाँ और घसीटा सारंगिए से भी यही सुना है कि सदर दरवाज़े से आरजू साहब की लाश निकल रही थी और पिछले दरवाज़े से 'बर्क़' जौनपुरी का सामान घर में लाया जा रहा था और उनकी बीवी कनीज़ फ़ातेमा अनाज की कोठरी का जायज़ा ले रही थी।

ये कनीज़ फ़ातेमा उर्फ़ दुल्हन बेगम जौनपुर की खरी सैदानी थीं। इसलिए किसी लम्बे-चौड़े घर पर क़ब्ज़ा करना उनके लिए कोई मुश्किल न था।

घर पर क़ब्ज़ा करने के बाद वह पुरसा लेने बैठ गईं।

यह ख़बर पल भर में फैल गई कि बर्क़ साहब छोटे भाई का पुरसा

ले रहे हैं। जब नादिर मामूँ को यह पता चला तो वह रोआँसे हो गए और बर्क़ साहब की इज़्ज़त उनके दिल में दूनी हो गई। सुक्कन बोलीं, "लकड़ी मारे से पानी अलग ना होता बेटा। ई त ख़ैर भाइअन की बात है।" यह कहते वह फूट-फूटकर रोने लगीं।

चार महीने दस दिन तक तो सुक्कन नानी मजबूर थीं। वहीं मामूँ के घर में पड़ी रहीं। ख़ुद मामूँ इतने चौंघट थे कि उन्हें कोई ख़याल ही नहीं आया, जबकि गोरखनाथ बेचारे शुरू के दिन से झींक रहे थे कि बर्क़ साहब की नीयत ठीक नहीं मालूम होती। परन्तु उन्हें मामूँ ने हर बार टाल दिया : "यह आप क्या कह रहे हैं बाबू गोरखनाथ, बड़े अब्बा साहब की नीयत ख़राब नहीं हो सकती। हम जौनपुरी मामले के साफ़ होते हैं।"

अब बेचारे गोरखनाथ क्या करते? अपना-सा मुँह लेकर रह गए। इस बीच में मामूँ बराबर बर्क़ साहब के यहाँ जाते रहे। बर्क़ साहब न भी होते तो भी दुल्हन बेगम उनका बड़ा चाव करतीं। उन्हें हलवा खिलातीं। हिम्मत के बारे में पूछतीं। बी को न देख सकने पर अफ़सोस करतीं। और नादिर मामूँ खा-पीकर और दुआओं की पोटली जेब में रखकर घर चले जाते। परन्तु चार महीने दस दिन बाद जब सुक्कन नानी को घर से निकलने का अधिकार मिला तो उन्होंने फ़ैसला किया कि अब इस कुल्हिए जैसे घर में रहने की क्या ज़रूरत है। चुनाँचे सामान बँध गया।

परन्तु जब मामूँ का काफ़िला लदा-फँदा कोठी के बड़े फाटक में दाखिल हुआ तो पता चला कि दुनिया ही और है। ख़ून पानी से पतला हो गया है। ग़रज़ कि इस प्रकार के सारे मुहावरे मामूँ की समझ में आ गए।

बर्क़ साहब बोले कि इस घर में मामूँ का कोई हक नहीं है क्योंकि स्वर्गवासी 'आरज़ू' जौनपुरी ने उन्हें एक रंडी से ब्याह के कारण आक़ कर दिया था।

ये बातें बर्क़ साहब ने चीख़-चिल्लाकर नहीं कहीं बल्कि मीठे लहजे

में समझाने के ढंग से कहीं। मामूँ उनका मुँह देखते रह गए।

"और दुल्हन बी," बर्क़ साहब ने सुक्कन से कहा, "तुम मुक़दमा हार चुकी हो। म्याँ नादिर मेरे भतीजे हैं। सौ-दो सौ, हज़ार-दो हज़ार से मदद करने को मैं गले-गले पानी में मौजूद हूँ। मैं उन्हें यहाँ रहने भी देता मगर आरजू मरहूम की रूह को इससे सदमा होगा।"

"हाँ बड़के भय्या, नद्दू के रहे से उनकी रूह को तकलीफ़ होइहे अउर आपके रहे से उनकी रूह निहालो-निहाल हो जय्यहे।" सुक्कन नानी के लिए चुप रहना नामुमकिन हो गया। "अरे ख़ुदा का डर नहीं है तो मोहल्लेवालन से डरिए बड़के भय्या।"

यहाँ से दुल्हन बेगम ने मोर्चा सँभाल लिया और फिर बड़ी-बड़ी बातें निकालीं। इमाम बाँदी ज़मीन में धँसती चली गई। सुक्कन नानी तो तुर्की-ब-तुर्की जवाब देती रहीं। परन्तु इमाम बाँदी क्या करती। लेकिन जब दुल्हन बेगम ने कहा कि "यह रंडी का बच्चा यहाँ रहेगा?" तो इमाम बाँदी बोल पड़ी :

"मेरा निकाह भी उसी तरह हुआ है दुल्हन बी जैसे आपका निकाह हुआ था।" वह गुस्से में थर-थर काँप रही थी।

"अरे, आप खड़े सुन रहे हैं और यह रंडी खड़ी-खड़ी गाली दे रही है," दुल्हन बेगम ने बर्क़ साहब से कहा। और यह बात कहके वह बाक़ायदा रोने लगीं।

और तब वह हुआ जो इस ख़ानदान के सैकड़ों बरस पुराने इतिहास में कभी नहीं हुआ था। यानी बर्क़ साहब का हाथ चल गया। इमाम बाँदी सन्नाटे में आ गई।

नौकर-चाकर जब बर्क़ साहब और दुल्हन बेगम की चीख़-पुकार पर भागे-भागे आए तो उन्होंने देखा कि शेख़ सलामत अली नादिर जौनपुरी शेख़ सुबहानउल्लाह बर्क़ की छाती पर सवार उनका टेंटुआ दबा रहे हैं।

नौकर बहरहाल नौकर थे। नादिर मामूँ पर उनका हाथ तो नहीं

उठा परन्तु उन्होंने बड़ी बेदर्दी से खेंचकर बर्क़ साहब से अलग किया। गुस्से से मामूँ की आवाज़ बन्द हो गई थी।

"तुमने मुझ पर हाथ उठाया।" बर्क़ साहब ने बेयक़ीनी से कहा। "आपको बी पर हाथ नहीं उठाना चाहिए था।" उनको यह जवाब देकर मामूँ सुक्कन नानी की तरफ़ मुड़े : "चलिए दुल्हन बी।"

हिम्मत को मामूँ और बर्क़ साहब की लड़ाई में बड़ा मज़ा आया था। वह ख़ूब हँसा था। उसने ख़ूब तालियाँ बजाई थीं। इसलिए लड़ाई का ख़त्म होना उसे अच्छा नहीं लगा। और जब इमाम बाँदी उसे लेकर जाने के लिए पलटी तो बहुत ही बुरा लगा और उसने बाक़ायदा रोना शुरू कर दिया।

ये लोग जिन सवारियों से आए थे उन्हीं पर फिर बैठ गए। सवारियाँ चली गईं। मामूँ वग़ैरा के जाने के बाद बर्क़ साहब ने मीर अली जवाद, शहर कोतवाल को एक ख़त लिखा।

मीर साहब देर तक बर्क़ साहब के साथ गप्पें ठोंकते रहे। और जब वह वहाँ से निकले तो यह वादा करके निकले कि नादिर मामूँ को किए की सज़ा ज़रूर मिलेगी।

कोतवाली का आदमी आया तो मामूँ के घर रात का खाना हो रहा था। पता चला कि कोतवाल साहब ने बुलवाया है। सुक्कन नानी और इमाम बाँदी दोनों ही के दिल धक-से हो गए।

"मेरी तो राय यह है कि आप वकील साहब के यहाँ होते हुए कोतवाली जाएँ," इमाम बाँदी ने राय दी।

"हाँ बेटा। ए में ज़रूर बड़के भय्या की कउनो चाल है," सुक्कन नानी बोलीं।

मामूँ हँस पड़े। "आप भी क्या बात करती हैं दुल्हन बी। मीर अली जवाद बड़े अच्छे शायर हैं। परसों कह रहे थे कि वह पहली जनवरी को कोतवाली में एक मुशायरा करना चाहते हैं। उसी के बारे में बातें करने को बुलाया होगा।"

"मगर वकील साहब के यहाँ होते जाने में क्या नुकसान है आख़िर?" इमाम बाँदी ने सवाल किया।

"वह लेट चुके होंगे।"

"तो मुख़्तार[1] साहब से मिल लीजिए।"

"अरे भई, मगर मैं सारे शहर को सर पर क्यों उठा लूँ आख़िर?" यह कहते हुए नादिर मामूँ घर से निकल गए।

मामूँ कोतवाली पहुँचे तो मीर अली जवाद साहब, शहर कोतवाल नई कोतवाली के सामनेवाले दालान में एक आरामकुर्सी पर बैठे पेचवान पी रहे थे।

नादिर मामूँ को देखते ही उन्होंने पलभर के लिए हुक़्क़ा पीना बन्द किया और उस पलभर में उन्होंने आवाज लगाई—"बन्द कर दो साले को।" यह कहकर वह फिर अपने पेचवान में लग गए।

नादिर मामूँ को यह ख़याल भी नहीं आया कि यह बात उनके लिए कही गई होगी। उन्होंने तो लहककर सलाम दाग दिया।

"आदाब बजाता हूँ मीर साहब।"

मगर इस बीच में एक कांस्टेबिल ने उनका हाथ पकड़ लिया और बोला, "हुआँ हवालात में चलके गजल लिखिए।"

इधर-उधर से कहकहों की आवाज़ आई।

वहाँ इमाम बाँदी बैठी हौल खाती रही और सुक्कन मन्नतें माँगती रहीं। घबराहट में वह यह मन्नत तक माँग गईं कि यदि उनका नद्दू साथ ख़ैरियत के आ गया तो वह दिलगीर जौनपुरी के मज़ार पर एक चादर चढ़ाएँगी।

दिलगीर जौनपुरी ने हमेशा सुक्कन का बहुत ख़याल रखा था। उन्हें किसी बात की तकलीफ़ न होने दी थी। उन्हें कभी यह न सोचने दिया था कि दुल्हन बेगम शेख़ानी है और वह एक हक़ीर-फ़कीर दरज़ी की बेटी। जितनी ईदी दुल्हन बेगम को मिलती, उतनी ही उन्हें मिलती। जितने

1. मेरे चचा

जोड़े दुल्हन बेगम के बनते उतने ही उनके भी बनते। जितनी दुआ दुल्हन बेगम को दी जाती उतनी ही दुआ वह भी पातीं। फिर भी वह दिलगीर साहब से प्यार न कर सकीं। और जिस दिन बेगम बी के साथ-साथ आरजू साहब ने वह घर छोड़ा उस दिन सुक्कन एक हद तक ख़ुश हुई थी कि चलो दिलगीर जौनपुरी से तो पिंड छूटा।

परन्तु अपने नद्दू की परेशानी में सुक्कन नानी यह भूल गईं कि वह अपने ससुर से डरा करती थीं।

ग़ाज़ीपुर एक बहुत छोटा-सा शहर है। यह बात तुरन्त फैली और शहरवालों ने इसका बहुत बुरा माना। उस्ताद कल्लू ने सितार रख दी और बोले : "अब ई तौ बर्क़ जौनपुरी का खुल्ला हरामीपन है।"

लेकिन गालियों में इतनी गर्मी तो होती नहीं कि हवालात की सलाख़ें पिघल जाएँ। इसलिए नादिर जौनपुरी को वह रात मच्छरों, खटमलों, कई जेबकतरों और एक नामी चोर के साथ हवालात में बसर करनी पड़ी। मामूँ चाहते तो आज़ादी के बाद इस हवालात में गुज़रनेवाली रात को राजनीतिक और देश-प्रेम का लबादा ओढ़ाकर सरकार से दाम वसूल कर लेते। एम. एल. ए. तो ख़ैर न होते, परन्तु पेंशन अवश्य बँध गई होती। एक साहब हैं (या शायद हुआ करते थे) जाने कौन त्रिपाठी। डाकिए थे। एक मनीऑर्डर के चक्कर में उनको सज़ा हो गई थी। आज़ादी के बाद पता चला कि मनीऑर्डर तो केवल बहाना था। अंग्रेज़ साम्राज्य उनसे बहुत डरता था और इसीलिए उनको सज़ा हो गई थी। इसलिए वह एक चोर से देशभक्त बन गए। बावन के चुनाव में खड़े हए और एम. एल. ए. हो गए। बहुत से लोगों को लाइसेंस वग़ैरा दिलवाने में उन्होंने बड़ी मदद भी की। त्रिपाठीजी बिचारे साइकिल चलाना नहीं जानते थे। इसलिए वह कैरियर पर बैठा करते और साइकिल कोई और चलाया करता था। उन दिनों छोटे शहरों में रिक्शों का इतना चलन नहीं हुआ था। सफ़ेद बुर्राक़ खादी की धोती, उतना ही सफ़ेद बुर्राक़ खादी का कुरता और बहुत जी

लगाकर इस्त्री की हुई गाँधी टोपी, एक बहुत बड़ा-सा बादामी रंग के चमड़े का ब्रीफ़केस! एम. एल. ए. हो जाने के बाद यह ब्रीफ़केस एक नए अंग की तरह उनके बदन पर उग आया था। लोग उन्हें ब्रीफ़केस के साथ देखने के इतने आदी हो गए थे कि यदि वह कभी बिना ब्रीफ़केस के दिखाई दे जाते तो उन्हें पहचानना मुश्किल हो जाता।...पता नहीं वह जी रहे हैं या मर गए। इतना याद आता है कि वह सत्तावन वाला चुनाव हार गए थे। बिचारे केवल पाँच बरस जिए। एक चुनाव से दूसरे चुनाव तक! परन्तु 'नादिर' जौनपुरी अभी तक जी रहे हैं, और शायद इसीलिए जी रहे हैं कि उन्होंने हवालात में गुज़रनेवाली उस रात के गुब्बारे में हवा भरने की कोशिश नहीं की।

दूसरे दिन अब्बा के एक मुवक्किल बाबू महावीर प्रसाद ने उनकी ज़मानत दी। मामूँ कोतवाली से निकले तो बूढ़े हो चुके थे। उन्होंने फिर कभी बर्क़ साहब का नाम नहीं लिया। और यही वह 'बर्क़' जौनपुरी हैं जिनकी दो मसनवियों, 'मसनवी दर्दे-नवबहार यानी क़िस्सये रामो-सीता' और 'मसनवी गौहरे-आबदार यानी करबला कथा' को बाद में हिम्मत ने बड़े चाव से प्रकाशित किया था।

वह सीधे कोतवाली से घर गए। सुक्कन उन्हें देखकर रो पड़ीं। इमाम बाँदी ने अपने आँसू पी लिए। वह माँ-बेटे के बीच में नहीं आना चाहती थी।

'नादिर' जौनपुरी एक पलंग पर गिर-से पड़े। उनके अंग-अंग में दर्द हो रहा था और उनकी आत्मा की गलियों में न जाने कैसी आँधियाँ चल रही थीं। इतना शोर था कि वह ख़ुद अपने दिल की आवाज़ भी नहीं सुन पा रहे थे। इसलिए उन्होंने आँखें बन्द कर लीं। इमाम बाँदी बावर्चीख़ाने में चली गई और सुक्कन हिम्मत का कलोट बदलने लगीं।

और यूँ हिम्मत से पूछे बिना यह फ़ैसला हो गया कि उसे इसी किराये के मकान में पलकर जवान होना है।

हिम्मत कोई क्रान्तिकारी तो था नहीं कि इस फ़ैसले का विरोध करता, उसने हालात के फ़ैसले को जूँ का तूँ मान लिया।

मैं उसके बम्बई जाने से पहले तक की बात को गोल कर जाना चाहता हूँ। बात यह है कि इस बीच में हिम्मत की कहानी में हिम्मत का ज़िक्र बहुत कम होगा क्योंकि हिम्मत का कोई स्वतंत्र व्यक्तित्व तो था नहीं। वह तो कचहरी की भाषा में नत्थी बे था। चुनाँचे डर इसका है कि यदि इस बीच की कहानी सुनाऊँगा तो उसमें मेरा ज़िक्र हिम्मत से ज़्यादा होगा। इस सत्तरह-अट्ठारह साल के ज़माने के बारे में मैं केवल इतना बताना चाहता हूँ कि उसने एम. ए. वी. हाई स्कूल और फिर सिटी हायर सैकंड्री स्कूल में सातवें दर्जे तक पढ़ा। सन् बयालिस में उसका रेस्टिकेशन हो गया।

सिटी स्कूल के हेड मौलवी अब्दुल हफ़ीज़ साहब को उसके निकाले जाने का बड़ा अफ़सोस हुआ। उनका ख़याल था कि हिम्मत में अच्छा शायर बनने के सारे आसार थे। उन्हें हिम्मत की आवाज़ भी बहुत पसन्द थी। और बाद में जब मुस्लिम लीग का ज़ोर हुआ तो मौलवी अब्दुल वफ़ा फ़सीही ने उससे एक जलसे में इक़बाल का तराना गवाया :

चीनो-अरब हमारा, हिन्दोस्ताँ हमारा।
मुस्लिम हैं हम, वतन है सारा जहाँ हमारा॥

लोग उसकी आवाज़ के जादू में फँस गए और सारे शहर में उसकी धूम मच गई और ज़िन्दगी में पहली और आख़िरी बार उसे यह एहसास हुआ कि वह भी कुछ है। परन्तु ग़ज़ब यह हो गया कि जमईअतुल-ओलेमा के सदर मौलवी अबुल-हसन ने एक जलसे में उससे इक़बाल का असली तराना गवा दिया :

सारे जहाँ से अच्छा हिन्दोस्ताँ हमारा।
हम बुलबलें हैं उसकी वह गुलसिताँ हमारा॥

उसकी आवाज़ की मिठास वैसी ही थी। परन्तु नादिर मामूँ ने उसे इनाम में चवन्नी नहीं दी बल्कि उस दिन वह पहली बार पिटा।

मैं यह बतलाना तो भूल ही गया कि उससे इक़बाल का असली तराना गवाने में 'बर्क़' जौनपुरी का बड़ा हाथ था। बर्क़ साहब बड़े कट्टर कांग्रेसी हुआ करते थे। तभी तो पाकिस्तान बन जाने के फ़ौरन बाद जब वह पाकिस्तान चले गए तो मुझे बड़ा आश्चर्य हुआ। मुस्लिमलीगी नादिर मामूँ, हिन्दुस्तान में हैं और आज भी वह उतने ही सख़्त मुस्लिमलीगी हैं। और 'बर्क़' जौनपुरी पाकिस्तान चले गए।... ख़ैर हमें इन क़िस्सों से क्या मतलब? मुझे तो केवल यह बताना था कि बर्क़ साहब की वजह से हिम्मत पर बड़ी मार पड़ी। उन्हीं दिनों वह लीला चिटनिस पर ताज़ा-ताज़ा आशिक़ हुआ था इसलिए वह घर से भाग खड़ा हुआ। मामूँ ने उसे बहुत ढूँढ़ा परन्तु उसका पता न चला। और उसका पता चलता भी कैसे क्योंकि वह तो ग़ाज़ीपुर से सैकड़ों मील दूर बम्बई में था।

यहाँ इस जीवनी का बालकांड समाप्त होता है।

दूसरा हिस्सा

यानी जाना हिम्मत का बम्बई और आशिक़ होना जमुना उर्फ़ ज़ुबेदा (यानी ज़ुबैदा) पर कि जो सड़क का गज़ थी और अपने बदन से लोगों की वासना मापा करती थी। और काम आ जाना हिम्मत का उसी राह में!

हिम्मत

कोई ऐसा आदमी नहीं था कि बीच से उठ जाए तो पता चले कि कोई उठ गया। थोड़े दिनों तक तो स्कूल की कुर्सियों और खेल के मैदानों ने उसे याद किया और फिर नादिर जौनपुरी और इमाम बाँदी के सिवा सब उसे भूल गए।

हिम्मत को हर खेल खेलने का शौक था। परन्तु वह कोई खेल खेलना जानता नहीं था—हाँ खेल देखने जाने में दूर-दूर तक उसका जवाब नहीं था। वह हॉकी के नीलकमल[1] और क्रिकेट के लहरी[2] और वॉलीबॉल के नज्जू[3] और हसन शुहम्मद[4] सभी का फैन था। मैदान चाहे किसी खेल का हो, हिम्मत मौजूद। उन दिनों ग़ाज़ीपुर में हॉकी और वॉलीबॉल का बड़ा ज़ोर था। हॉकी में गोरा बाज़ार और पुलिस लाइन की टीमों की बड़ी धाक थी। गोरा बाज़ार उन दिनों शहर से बहुत दूर हुआ करता था। परन्तु वहाँ भी कोई मैच होता तो हिम्मत पैदल चलकर वहाँ जाता। यदि कोई बारह-चौदह साल का हो तो दो-सवा दो मील की दूरी बहुत हो जाती

---

1. ये ग़ाज़ीपुर के लोकल खिलाड़ियों के नाम हैं। नीलकमल और लहरी का तो जाने क्या हश्र हुआ। नज्जू होम्योपैथी के डॉक्टर हो चुके हैं और हसन मुहम्मद पुलिस इंस्पेक्टर।
2. वही,
3. वही,
4. वही,

है, परन्तु हिम्मत थकना नहीं जानता था। वह वहाँ जाता। अपनी आवाज़ से मैच में शामिल होता, और लौटता तो इतना हारा-थका लौटता जैसे वह साइड लाइन पर बैठा खेल देख नहीं रहा था बल्कि खेल रहा था और बाईसों खिलाड़ियों की थकन उसके बदन में समा गई है। फिर वह इमाम बाँदी को खेल का आँखों देखा हाल बताता "...नीलकमल ज़ीरो डिगरी से हुमिच के जो गोल मारिस त यासीन बेचारू देखते रह गए।..."

परन्तु ज़िन्दगी जब नीलकमल ही को खा गई तो हिम्मत बेचारे की तो बिसात ही क्या? मैंने हिन्दुस्तान के मशहूर खिलाड़ियों को खेलते देखा है। सय्यद अली, अली सईद और इनआमुर्रहमान को तो मैंने लगातार देखा है। परन्तु नीलकमल जैसा लेफ़्ट-आउट मैंने आज तक नहीं देखा। लेकिन नीलकमल एक बहुत ही छोटे से शहर का लेफ़्ट-आउट था। इसलिए किसके पास समय है कि वह नीलकमल और आबिद तथा रामसिंह और यासीन या रसिक बिहारी को याद करे। यह हिम्मत तो केवल हिम्मत जौनपुरी में थी। वह इन नीलकमलों और रामसिंहों के ज़िक्र से कभी नहीं शर्माया। यदि बात होती लक्ष्मण की गोलकीपरी की तो वह बीच में लालू की बात निकाल बैठता : "अरे साहब लछमन का त बस नाम हो गया है। गोलकीपरी त बस लालू पर ख़त्म हो गई।" सुननेवाला हैरान हो रहा है कि ये लालू कौन साहब हैं? "...हमरे लोगन की टाउन कलब का गोलकीपर रहा साहब। जय्यसे सिपाही लोग सीने पर गोली रोकते हैं ऊ गेंद रोकता रहा..." सिपाहियों को सीने पर गोली रोकते न उसने देखा था और न मैंने। परन्तु लालू को सीने पर गेंद रोकते सारे शहर ने देखा था। परन्तु ग़ाज़ीपुर जैसे फटीचर शहर और हिम्मत जैसे फटीचर आदमी की बात सुनता ही कौन है?

यही तो कारण है कि लालू उर्फ़ लाल मुहम्मद आज बनारस में रोडवेज की बस चला रहा है और हॉकी की याद उसे परेशान भी नहीं करती। कई बरस हुए, मैं बनारस में लालू से मिला था। उसके कई बच्चे

हैं और वह अपनी यूनियन का सेक्रेटरी वग़ैरा हो गया है। परन्तु हिम्मत यदि आज ज़िन्दा होता तो वह लालू की गोलकीपरी को अवश्य याद रखता और मैक्सिको में हमारी हार की ख़बर सुनते ही कहता : "इन बहनचो' का इहे इलाज है। मुनीर सेठ साला का करेगा गोलकीपरी। ओकी जगह लालू रहे होते त ई गोल होई ना सकता रहा भाई।..."

ये बातें ग़ाज़ीपुर की बड़ाई बताने के लिए नहीं कर रहा हूँ मैं। जी नहीं! हर शहर के पास उसके नीलकमल और लाल मुहम्मद होते हैं। मैं तो हिम्मत की बातें कर रहा हूँ। हिम्मत उन लोगों में था जिनमें अपनी कोई बड़ाई नहीं होती और जो दूसरों की बड़ाई के नशे में ज़िन्दगी गुज़ार देते हैं। हिम्मत नीलकमल भी था और लालू भी। नज्जू भी था और लहरी भी। परन्तु था वह केवल शेख़ मुबारक अली हिम्मत जौनपुरी ही। और इसीलिए जब वह लीला चिटनिस पर आशिक़ होकर भाग गया तो ग़ाज़ीपुर में खेल के मैदान वीरान नहीं हो गए। खेल होते रहे। लोग उसी तरह शोर करते रहे। टीमें उसी तरह हारती और जीतती रहीं। और किसी ने यह महसूस भी नहीं किया कि बीच से कोई उठ गया है। हद तो यह कि मैं उसे भूल गया, मैं जो उसका गहरा दोस्त था, जिसे उसने यह तक बता दिया था कि वह लीला चिटनिस पर आशिक़ हो गया है और जिसकी मदद से उसने लीला चिटनिस को पहला प्रेम-पत्र लिखा था।

मैं अपनी ज़िन्दगी के उतार-चढ़ाव में फँस गया और एक कटी हुई पतंग की तरह ग़ाज़ीपुर, बनारस, लखनऊ और इलाहाबाद, पटना, राँची, रामपुर और अलीगढ़ और श्रीनगर के आसमानों के नीचे भटकता रहा। मेरा सारा समय अपने व्यक्तित्व के टुकड़े समेटने में गुज़रता रहा। एक सीधे-सादे वकील का बेटा शायर हो गया था और मशहूर होने में लगा हुआ था, तो फिर आप ही बताइए कि मैं अपनी शोहरत और बदनामी समेटता या हिम्मत को याद करता। इसलिए मैं बड़ी सफ़ाई से यह कह देना चाहता हूँ कि मैं हिम्मत को बिलकुल ही भूल गया। हाँ

ग़ाज़ीपुर जाता तो डॉक्टर उबैदुर्रहमान की दुकान या झूलन के चायख़ाने में नादिर मामूँ से मुलाक़ात होती तो हिम्मत एकदम से याद आ जाता। परन्तु यह एक न्यूट्रल क़िस्म की याद होती। यह याद न मुझे ख़ुश करती और न उदास लेकिन मेरी और उसकी मुलाक़ात हुई। और यदि उससे फिर मुलाक़ात न हुई होती तो शायद मैं यह जीवनी लिखने का इरादा न करता।

हिम्मत के बम्बई भाग जाने के कोई तेरह-चौदह बरस बाद सन उनसठ या साठ में अली सरदार जाफ़री ने जिगर मुरादाबादी के लिए दस हज़ार रुपये जमा करने के लिए बम्बई में एक मुशायरा किया। मुझे भी बुलाया। और यूँ एक अजनबी शहर में एक ज़माने के बाद हिम्मत से मेरी मुलाक़ात हुई।

बड़े वाले मुशायरे में तो वह आ नहीं सका था क्योंकि टिकट महँगे थे। परन्तु जब क़ैसरबाग़ में दूसरा मुशायरा हुआ तो मुशायरे के बाद वह मजमे को चीरता-फाड़ता मेरे पास आया। मैंने उसे नहीं पहचाना। उसे न आश्चर्य हुआ और न अफ़सोस। वह हँस पड़ा और बोला : "अरे हम हिम्मत हैं, भाई। हिम्मत जौनपुरी।"—अरे हाँ! यह तो बड़ी-बड़ी हैरान आँखोंवाला हिम्मत है। मैंने उसे लिपटा लिया। और शायर ऑटोग्राफ़ देने में लग गए और मैं हिम्मत के साथ वहाँ से सरक गया। हम दोनों एक ईरानी चायख़ाने में जा बैठे। डबल स्पेशल का ऑर्डर देकर वह इत्मीनान से बैठ गया और बोला :

"तूँ तो बहुते मशहूर हो गए हो यार।" उसने मेरी तरफ़ चारमीनार की एक डिबिया बढ़ाई। मैंने इनकार कर दिया। उसने अपने लिए एक सिगरेट सुलगा ली। "हम गफ़्फ़ार चचा से कहा कि हमरा एक पुराना दोस्त आ रहा तो ऊ मनबे ना किहिन। हम कहा अच्छा। हम ओको लिआयु आवेंगे तोरी दुकान पर। हम कल्ह रात को बारह मज़े मुशाएरा कर रहें गफ़्फ़ार चचा के इस्लामी होटल में, तूहें आए को पड़िहे।"

"ज़रूर आऊँगा।" हालाँकि मैं जानता था कि मैं नहीं जाऊँगा। उन दिनों कम्युनिस्ट पार्टी ने लेफ्ट-राइट करना शुरू नहीं किया था और मैं कम्युनिस्ट पार्टी का बाक़ायदा मेम्बर था। परन्तु था तो मैं मध्यम वर्ग ही का। इसलिए हज़ारों मजदूरों के मजमे में शेर सुनाकर ख़ुश हुआ करता था और यह सोचकर अपनी आँखों में अपना दाम बढ़ाता रहता था कि सोशलिस्ट क्रान्ति केवल मेरी कविता ही ला सकती है। परन्तु क़ीमती पार्टियाँ छोड़कर एक घटिया से चायख़ाने में घटिया लोगों को शेर सुनाने से इंक़िलाब का क्या फ़ायदा हो सकता था? और यही सोचकर मैंने तड़ से वादा कर लिया और मेरा वादा सुनकर हिम्मत ख़ुश हो गया और तब उसने अपने सड़े हुए ब्रीफ़केस को खोला और बर्क़ साहब की दोनों मसनवियाँ निकालकर उसने उन्हें मेरी तरफ़ यूँ बढ़ाया जैसे वह बर्क़ साहब की लिखी हुई मसनवियाँ नहीं बल्कि आसमानी किताबें हों। मैं उन्हें उलट-पलटकर देखने लगा। बहुत बुरी छपी थीं दोनों मसनवियाँ।

"तुमने बहुत अच्छा किया कि इन दोनों मसनवियों को छपवा दिया," मैंने कहा, "बर्क़ साहब का ख़त-वत आता है या नहीं?"

उसने इनकार में गर्दन हिला दी।

"बी कैसी हैं?"

तो उसे बी यानी इमाम बाँदी याद हैं। "ठीक हैं।"

"हम त इ बम्बई में अय्यसा फँस गए कि क्या बताएँ। महूरत हो जाए तो सोच रहे कि बी और मियाँ को हिंअईं बुला लें।"

"महूरत?"

वह मुस्कुरा दिया : "हाँ, अय्यसा धाँसू सबजेक्ट तय्यार किया है कि का बताएँ। अरे मासूम, हीरोइन तो अय्यसी धाँसू है कि मीना कुमारी और विजयंतिमाला उसके आगे वग़ैरा-वग़ैरा मालूम होंगी। कैमरा हीरोइन के क्लोज़अप में है कि बैक ग्राउंड म्यूज़िक एकदम से ससपेंसवाला हो

जाता है। कट करके दिखलाया कि क्यों प्राण छुरा लिए धीरे-धीरे हीरो की तरफ़ बढ़ रहा है? इस छुरे को एक लौकी में डिजाल्व किया। हीरोइन की माँ लौकी काट रही है और हीरोइन का बाप मोर छाप बीड़ी पी रहा है। अब यहाँ से ड्रामा शुरू होता है..."

"क्यों पागल हुए हो?" मैंने कहा।

वह मुस्कुराया : "गाने तुम्हीं से लिखवाऊँगा। साहिर और मजरूह तो बंडल मारने लगे हैं।"

"मगर..."

"तूँ काहे अगर-मगर कर रह्यो यार!" उसने मेरी बात काटी,"अगर-मगर करे को हम जो मौजूद हैं। दलीप कुमार को साइन करते ही महूरत करेंगे।"

"दलीप कुमार?"

"यार आदमी है," वह बोला, "बिलकुल फ़स्ट-क्लास आदमी है। अपन का बहुत ख़याल रखता है। हम त भय्या साफ़-साफ कह दिया कि हमरे पास टोकरी भर रुपया ना है। त ऊ मुस्कुराए लगा और बोला, हिम्मत अपन तेरी पिकचर में काम करने को डिसाइड कर लिया है। तेरे से रुपया कौन माँगता है? एक रुपया देके साइन करा ले। बाक़ी अपन के पास उह बखत एक रुपया ना निकला। नहीं तो एह बख़्त हम इंपाला पर दनदनाते फिर रहे होते।"

"यह फ़िलम-विलम का चक्कर छोड़ो और यह बताओ कि इतने दिनों तक करते क्या रहे?"

"तेरह-चउदह बरस की बात हिआँ बइठे-बइठे कय्यसे बता दें। अरे मासूम, कोइ हमरे पर फ़िलिम बनाए तो देवदास साला भंगी जनाये लगे।"

"और लीला चिटनिस!"

"ओका नशा तो बम्बई आते ही उतर गया रहा। अउर अब तो ऊ

साली कैरेक्टर आर्टिस्ट हो गई है। अउर किसी को पता भी चल गया कि मैं किसी कैरेक्टर आर्टिस्ट पर आशिक़ हूँ तो अपना साला फ़्यूचर कंडम हो जाएगा। फ़िलिम इंडस्ट्री में इश्क़ करना हो तो ख़ाली हीरोइन से करो। नहीं तो करबे मत करो।" मैंने उसकी तरफ़ सवालिया नज़रों से देखा तो वह झेंप गया और बोला, "अपन तो स्टोरी राइटर हैं, मासूम। अपन लोग तो एक्सट्रा हैं। बाक़ी जुबेदा बड़ी फ़स्ट-क्लास लड़की है।"

"जुबेदा?"

"हम साली से बोलते-बोलते थक गए कि जुबैदा बोल। बाक़ी ऊ नहीं मानती। बोलती है, अपन को जुबेदा अच्छा लगता है। वैसे ओका असली नाम जमुना है।"

"तो वह अपने को जुबेदा क्यों कहती है?"

"अरे भाई हिआँ का चक्करे अलग है। कहती है कि मुसलमानी नाम हो तो धंधा अच्छा होता है।"

"नाम का धंधे से क्या मतलब?"

"ई बात तोरी समझ में ना आ सकती।"

"ख़ैर गोली मारो नाम और धंधे को। शादी कब कर रहे हो?"

"का बताएँ यार! हम ओपर आशिक़ हैं। ऊ राजा पर आशिक़ है। राजा बिल्लो पर आशिक़ है।"

"यह राजा कौन है?"

"है अपना एक यार। बिलकुल हीरा आदमी है।"

"तो यार ही तुम्हारा रक़ीब बन गया है? 'बन गया रक़ीब आख़िर था जो राज़दाँ अपना, क्यों?"

"इ बात ना है। रक़ीब तो टार्ज़न है।"

"टार्ज़न? ये कौन साहब हैं?"

"इ साहेब-वाहेब ना हैं। इ दादा है," वह बोला, "दारू अउर लड़कियन का धंधा करता है।"

एकदम से मैंने अपने आपको एक अजनबी दुनिया में पाया और मुझे ऐसा लगा कि जैसे अनजानी परछाइयों में घिर गया हूँ। जमुना उर्फ़ ज़ुबेदा, राजा, बिल्लो, टार्ज़न, गफ़्फ़ार चचा...मुझे यह तो मालूम नहीं था कि हिम्मत की कहानी के टुकड़े बटोरने के लिए इन तमाम लोगों से मिलना पड़ेगा। क्योंकि उस रात यह कहाँ तै हुआ था कि मैं हिम्मत की जीवनी लिखूँगा। मेरा ख़याल तो यह था कि इस ईरानी चायख़ाने से उठने के बाद हिम्मत से फिर मेरी मुलाक़ात ही न होगी।

मेरी मेज़बान कार ने हॉर्न बजाना शुरू किया। मैं खड़ा हो गया। हिम्मत मेरे साथ कार तक आया। मेरे साथ चलते हुए वह अपने आपको बड़ा अहम महसूस कर रहा था। ड्राइवर ने हम दोनों को हिकारत से देखा। उसकी निगाह ने मुझे कुचल दिया और उसकी निगाह से बचने के लिए मैं कार में बैठ गया। हिम्मत ने बड़े अदब से कार का दरवाज़ा बन्द किया।

"अच्छा।" मैंने कहा।

"तो फिर कल्ह मुलाक़ात होगी। कल्ही मैं तुम्हें स्क्रिप्ट भी दिखलाऊँगा। ज़रा उसकी ज़बान-बवान ठीक कर देना।"

कार आगे बढ़ गई और मैं जवाब देने से बच गया। और ईमान की बात तो यह है कि अपने महत्त्व के नशे में मैं हिम्मत और उससे किए हुए वादे को बिलकुल भूल गया।

मैं कई दिन बम्बई में ठहरा, परन्तु हिम्मत से मेरी मुलाक़ात नहीं हुई। क्योंकि मैं एक कनवर्टेवल शिवरले में था और हिम्मत फुटपाथ पर। मैं दौलतमन्दों को अपनी क्रान्तिकारी कविताएँ सुना रहा था और हिम्मत भीड़ लगाकर अपना मंजन बेच रहा था और अपनी फ़िल्म प्रोड्यूस करने और जमुना से ब्याह करने का सपना देख रहा था।

यह जो बम्बई शहर है, कूड़े का बहुत बड़ा डिब्बा है जो हमारे टूटे-फूटे, सड़े-गले, और चिंगुड़े-मिंगुड़े ख़्वाबों से लबालब भरा हुआ है। किसी प्रसिद्ध क्रान्तिकारी कवि के पास इतना समय कहाँ कि इस डिब्बे

की गन्दगी में हाथ डालकर किसी बहुत साधारण और बहुत फटीचर हिम्मत जौनपुरी को तलाश करे।

कई बरस के बाद जब मुझसे आले अहमद सुरूरों, डॉक्टर नूरुल हसनों तथा अलीयावर जंगों जैसे घटिया लोगों ने अलीगढ़ छुड़ा दिया और मैं बम्बई आ गया तब भी मुझे हिम्मत का ख़याल न आया। क्योंकि मैं रोटी की तलाश में था और यदि रोटी की तलाश हो तो वह हिम्मत को तलाश करने या उसे याद करने का समय नहीं निकाल सकता।

वी. टी. के प्लेटफार्म पर पाँव धरते ही आत्मा की यात्रा समाप्त होती है और तन का संघर्ष शुरू हो जाता है। यह संघर्ष बड़ा जानलेवा होता है। इस संघर्ष में चेहरे धीरे-धीरे घिसने लगते हैं। तन की भाग-दौड़ में परम्पराओं का नाक-नक्शा भी घिस जाता है। आदमी नाश्तेदान बन जाता है। यह बम्बई आदमी को नाश्तेदान बनाने का एक बहुत बड़ा कारखाना है।

यह बड़ा बेदर्द और बेमुरव्वत शहर है। और यह बदन से मशीन और दिलों से पत्थरों तक फैला हुआ है। डिबियों और बोतलों के सिवा यहाँ कोई चीज़ असली नहीं है। जो हाथ हमारे जूतों पर पॉलिश करते हैं वे हमारे देश का वर्तमान हैं, और असली डिबियों में नकली पॉलिश हमारे देश का भविष्य है तथा जिन जूतों पर पॉलिश की जाती है वे हम ख़ुद हैं।

मैं आते ही इस शहर की ख़राद पर चढ़ गया। मेरी आत्मा के फ़ालतू हिस्से घिस रहे हैं। शायद यह शहर जीत जाए और आज तक जो राही मासूम रज़ा है वह कल केवल एक चमचा दिखाई दे। सच पूछिए तो इसीलिए मैं यह कहानी सुना रहा हूँ कि क्या पता कब यह शहर मेरी आत्मा को पिघलाकर एक चमचा या नाश्तेदान ढाल ले। हिम्मत की कहानी कोई चमचा या नाश्तेदान नहीं सुना सकता! और मैं आकर फँसा हूँ तो कहाँ? फ़िल्मी दुनिया में जहाँ कथाकार के सिवा सभी कथाकार हैं। कहानी की कहानी में कथाकार एक ऐसे एक्सट्रा का रोल प्ले करता

है जिसके पास डायलॉग का एक टुकड़ा भी नहीं होता। कहानी फ़्लॉप हो जाए तो उसके सर थोप दी जाती है। फ़िल्म जुबली मना ले तो हीरो से लेकर फिनांसर तक सभी क्रेडिट लेने को मौजूद हो जाते हैं। तो इस जीते-जागते नर्क में मैं हिम्मत को क्या ढूँढ़ता!

मैं टैक्सी पर चलता हूँ तो मुझे हिम्मत दिखाई भी कैसे देता? और मैं टैक्सी पर चलने को मजबूर हूँ। क्योंकि यदि एक दिन भी मैं बस की क्यू में खड़ा हो जाऊँ तो टके का तीन हो जाऊँगा। यहाँ दाम ऐक्टर या म्यूज़िक डाइरेक्टर या कथाकार का नहीं लगता। यहाँ दाम उसकी गाड़ी का लगता है। प्रेम जूतियाँ चटखाते-चटखाते आए थे, जूतियाँ चटखाते लौट गए। गुलशन नन्दा के पास अस्सी हज़ार का नया फ़्लैट है। जोश को किसी ने घास न डाली। हसरत की तूती बोल रही है। यहाँ अक़्ल न हो किसी के पास तो फ़र्क़ नहीं पड़ता परन्तु कार न हो तो बड़ा फ़र्क़ पड़ता है। कार की लम्बाई से कला की लम्बाई नापी जाती है। यदि आपके पास फ़र्स्ट-हैंड कहानी और सेकेंड-हैंड गाड़ी हो तो आपकी कहानी थर्ड रेट हैं परन्तु यदि कहानी सेकेंड-हैंड और या थर्ड-हैंड हो और गाड़ी कनवर्टेबल हो तो आपकी कहानी फर्स्ट-रेट साबित हो जाएगी और आपको मुँहमाँगे दाम मिलेंगे। इसलिए मज़बूरन टैक्सी पर चलना पड़ता है, और इसीलिए इस बार फिर हिम्मत ही ने मुझे तलाश किया।

एक दिन मैं अपनी बेटी मरियम के साथ खेल रहा था कि घंटी बजी। मेरी बाई ने दरवाज़ा खोला। यह मेरी यू. पी. की बाई नहीं है। महाराष्ट्र की बाई है। एक लतीफ़ा सुन लीजिए। जब भी लक्ष्मी बाई का ज़िक्र सुनता था, हैरान हो जाता था। क्योंकि मैंने तो रामी बाई और बुग्गन बाई और नासिरी बाई के नाम सुने थे। मेरे लिए लक्ष्मी बाई भी वही थी। यह तो बम्बई आने के बाद पता चला कि बाइयाँ दो प्रकार की होती हैं। यू.पी. की बाई और महाराष्ट्र की बाई। यहाँ यह मेरी बीवी

को बाई कहती है। चुनाँचे जब वह नय्यर के साथ अलीगढ़ गई तो मैंने उससे कहा कि वह नय्यर को वहाँ बाई न कहे वरना बड़े जूते पड़ेंगे। यह सफ़ाई इसलिए दी कि यदि यह किताब मेरे घरवाले पढ़ें तो यह न सोचें कि मैं बिगड़ गया हूँ। मेरी बाई, मरियम की आया है।

उसने अपनी कोंकणी हिन्दी में मुझे बताया कि कोई मुझसे मिलने आया है। हिम्मत का नाम मेरी समझ में नहीं आया था। इसलिए मैं यह जाने बिना बाहरी कमरे में गया कि कौन आया है। सच पूछिए तो मुझे बड़ी कोफ़्त हो रही थी। परन्तु मैं हिम्मत को देखकर भौचक्का रह गया और मुझे फ़ौरन यह याद आया कि मैंने कई बरस पहले हिम्मत से किया हुआ एक वादा तोड़ा था। इसलिए मैं उससे लिपट गया।

"क्या हाल है?"

"जुबैदा तुमसे बहुत ख़फ़ा है।"

"जुबैदा?" और फिर मुझे याद आ गया। "शादी हुई कि नहीं?"

"यार सुना है कि तुम स्टोरी राइटर हो गए हो?" उसने कहा, "और राजकुमार और दलीप कुमार के लिए लिख रहे हो। मेरी कहानी भी लिख डालो। मेरा रोल दलीप कुमार और राजकुमार के सिवा कोई कर भी नहीं सकता।"

"तुम्हारी फ़िल्म का क्या हुआ?" मैं उसकी बात टाल गया।

"अरे यार मासूम, तुम नहीं लिखोगे मेरी कहानी तो और कौन लिखेगा?"

और तब मैंने देखा कि उसकी आँखें बुझ गई हैं। और तब मैंने महसूस किया कि उसकी आवाज़ का दर्द बढ़ गया है। और तब मुझे यह नज़र आया कि वह इतना अकेला है कि उसकी परछाइयाँ भी उसके साथ नहीं हैं।

मैं मुस्कुरा दिया।

"अच्छा लिखूँगा तुम्हारी कहानी।"

यह सुनकर वह जी उठा। परन्तु फिर उदास होकर बोला, "क्या उसी तरह लिखोगे जैसे ग़फ़्फ़ार 'चा की दुकान पर मेरे साथ चाय पीने आए थे।"

"क्या बताऊँ यार, वह ऐसा हुआ..."

"मुझे क्यों समझा रहे हो," उसने बात काटी, "जमुना, मेरा मतलब है कि जुबैदा को समझाना। उस रात जब तुम नहीं आए तो किसी ने बुरा नहीं माना था। क्योंकि किसी ने यह माना ही नहीं था कि तुमसे मेरी दोस्ती हो सकती है। बस जमुना ने मान लिया था। इसलिए जब तुम नहीं आए तो बोली : "हिम्मत, तेरा यार भी तेरी ही तरह कंडम जान पड़ता है। अपन तो सोच रहे थे कि ऊ आएगा तो अपन उससे बोलेंगे कि तू हिम्मत का यार है तो अपन पर एक शायरी लिख दे।"

मैं सन्नाटे में आ गया।

थोड़ी देर के बाद वह चला गया। उसके जाते ही मेरे दिमाग़ से यह बात निकल गई कि मैंने हिम्मत के लिए कहानी लिखने का वादा किया है।

हिम्मत से फिर मेरी मुलाक़ात नहीं हुई। हाँ, एक रात जब मैं राजकुमार के घर से लौट रहा था, माहिम के चौराहे पर मुझे एक आदमी दिखाई दिया जो चिल्ला रहा था : "एक सवारी ग़ाज़ीपुर! एक सवारी ग़ाज़ीपुर!" और उसके हाथ में रेल के दो टिकट थे। वह हिम्मत था। मैं न रुका होता यदि वह बेस्ट कम्पनी की एक बस के नीचे न आ गया होता।

उसके मरने की ख़बर किसी समाचार-पत्र में नहीं छपी। जौनपुर को तो पता भी नहीं चला क्योंकि मरते समय उसकी ज़बान पर जौनपुर का नाम नहीं था।

मैंने नादिर मामूँ को एक ख़त लिख दिया। मैंने उन्हें यह नहीं लिखा कि वह पागल होकर मरा। मैंने उन्हें यह भी नहीं लिखा कि वह ग़ाज़ीपुर का नाम लेता हुआ मरा। मैंने उन्हें केवल यह लिखा कि वह मर गया।

ग़ाज़ीपुर के एक लोकल समाचार-पत्र में यह समाचार भी छपा

कि श्री हिम्मत जौनपुरी जब अपनी फ़िल्म 'नींद का गाँव' की काग़ज़ी तैयारियाँ पूरी कर चुके थे, यकायक दिल की धड़कन बन्द हो जाने के कारण स्वर्गवासी हो गए। सुना जाता है कि अपनी फ़िल्म के लिए वह दलीप कुमार को साइन कर चुके थे...

इस समाचार में 'सुना जाता है' की बात बिलकुल ग़लत थी। मैंने सम्पादक के पास ख़ुद हिम्मत का ख़त देखा था जिसमें उसने लिखा था कि जल्द ही वह अपनी फ़िल्म का महूरत करनेवाला है और दलीप कुमार के साथ एक नए चेहरे जमुना को इंट्रोड्यूस करनेवाला है।

यह हिम्मत साला बड़ा हरामी था!

परन्तु अब मुझे तो उसकी कहानी लिखनी ही पड़ेगी। दलीप कुमार उसमें काम करेंगे या नहीं यह तो वह जानें। मैं अपना काम किए देता हूँ।

कहानी शुरू करने से पहले कथाकार यह बताना ज़रूरी समझता है कि श्री हिम्मत जौनपुरी वास्तव में ग़ाज़ीपुरी थे...।

तीसरा हिस्सा

यानी हिम्मत के टुकड़ों को इकट्ठा करके उसकी लाश को सम्पूर्ण बनाना राही मासूम रज़ा का।

"दो सवारी ग़ाज़ीपुर। दो सवारी ग़ाज़ीपुर।"

इस आवाज़ ने घर तक मेरा पीछा किया। ईमान की बात यह है कि मैंने बहुत चाहा कि इस आवाज़ को निकालकर दरवाज़ा बन्द कर लूँ। परन्तु जो आदमी ज़िन्दगी भर न होने के बराबर रहा उसकी आवाज़ में न जाने इतना बल कहाँ से आ गया था कि उसने मुझे बेबस कर दिया। और नतीजे में मुझे उसकी जीवन-कथा लिखनी पड़ी।

लोगों के हिस्से में बादशाह और लीडर और फ़िल्म स्टार आते हैं और मेरे हिस्से में यह फटीचर आदमी आया।

उसके बारे में अब तक जितना बता चुका हूँ उससे आपको अन्दाज़ा हो गया होगा कि उसके बारे में बताने के लिए कुछ है नहीं। अब मैं कोई अपनी जीवनी तो लिख नहीं रहा हूँ कि झूठ में सच फेंट-फाँटकर सतरंगी कहानी सुना दूँ। इस फटीचर हिम्मत के लिए मैं झूठ क्यों बोलूँ। आख़िर मुझे भी ख़ुदा को मुँह दिखाना है एक दिन!

यह हिम्मत ऐसा ख़बीस था कि इसने मरने के बाद कहानी का कोई सामान ही नहीं छोड़ा। अब थर्ड क्लास के दो टिकटों पर कोई क्या कहानी लिखे जबकि वे टिकट भी ग़ाज़ीपुर के थे और मरनेवाला अपने आपको जौनपुरी कहा करता था। परन्तु मैं कॉमरेड गफ़्फ़ार तो हूँ नहीं कि यह कहकर अलग हो जाऊँ कि यूँ मरना मार्क्सवाद के ख़िलाफ़ है,

क्योंकि जीवन तो अवश्य वर्गों में बँटा हुआ है परन्तु मौत का कोई वर्ग नहीं होता। माउत्सेतुंग और जॉनसन दोनों मरकर एक-से हो जाएँगे—हिम्मत की तरह। नहीं मैंने ग़लत कहा। मौत के दो वर्ग होते हैं। मनुष्य की मौत और बड़े लोगों की मौत। कोई बड़ा आदमी मरता है तो जो अच्छाइयाँ उसमें नहीं भी होतीं वे भी ढूँढ़ ली जाती हैं कि मरनेवाला हमेशा शरीफ़ आदमी होता है। और यदि कोई साधारण आदमी मरता है तो कोई यह सोचने का कष्ट भी नहीं उठाता कि उस अकेले आदमी के साथ कितनी चीज़ें मर गईं।

इस वक़्त हिम्मत का ऐसा शेर याद आ रहा है जिसे मैं अपने नाम से छपवा चुका हूँ। मेरे मुक़ाबले में हिम्मत की बात कौन मानता? शेर यह है :

ज़रूरतों के अँधेरे में डूब जाती हैं।
न जाने कितनी ज़मीनें जो आसमाँ होतीं॥

उसके साथ न जाने कितनी ज़मीनें मर गईं। दि गफ़्फ़ार इस्लामी होटल के प्रोपराइटर शेख़ अब्दुल गफ़्फ़ार का हज मर गया। जुबेदा यानी जमुना का दिल मर गया। एक धाँसू फ़िल्मी कहानी मर गई जिसमें वह अपनी प्रेमिका को एक स्ट्रीट-वाकर का रोल देनेवाला था—साइड हीरोइन। और अपने लिए उसने एक एक्स्ट्रा का रोल चुना था। प्रोड्यूसर, राइटर, डाइरेक्टर अपनी ही फ़िल्म में एक्स्ट्रा का रोल करनेवाला था। ऐसे बहादुर लोग—उसके साथ मर गई एक दिल में उतर जानेवाली आवाज़! और मर गईं शेख़ सुबहानुल्लाह बर्क़ की दोनों मसनवियाँ। और मर गए हज़ारों-हज़ार बेनाम और बेदाम छोटे-छोटे ख़्वाब। और मर गईं वे ख्वाहिशें जिनका उसने जमुना से परिचय करवाया था। झूमर, जुगनू, नथ, टीका, उदिराज, करणफूल, बालियाँ, पात बालियाँ, फ़र्शी पाजामे जिन पर पटापटी का काम था, और पानी की तरह नर्म मलमल के चुने

हुए दुपट्टे, जामावार की शॉलें और कामदानी के काम की साड़ियाँ, टुकड़ी के काम की रज़ाइयाँ...

तो मैं यह कह रहा था कि मौत के दो वर्ग होते हैं। हिम्मत की मौत ज़ाहिर है कि दूसरे वर्ग की थी। और इसीलिए मुझे यह हैरानी हो रही है। क्योंकि जो बातें हिम्मत के लिए महत्त्व रखती थीं वे किसी और के लिए कोई महत्त्व नहीं रखतीं। हालाँकि मैं जानता हूँ कि प्रिय पाठको कि तुम भी लाट साहब नहीं हो। क्योंकि लाट साहब क़िस्म के लोग हिन्दी की किताबें नहीं पढ़ते। सच तो यह है कि लाट साहब क़िस्म के लोग किताबें पढ़ते ही नहीं। वे केवल किताबें ख़रीदते हैं—वे भी अंग्रेज़ी की किताबें और महँगी किताबें। छोटे लाट साहब लोग मेरी पेरी मेसन और अगाथा क्रिस्टी और पीटर चेनी और आयन फ़्लेमिंग पढ़ते हैं और 'रसल' को बुकशेल्फ में लगाते हैं। इसलिए प्रिय पाठको, यदि तुम यह किताब ख़रीदकर पढ़ रहे हो तो मेरी ही तरह साधारण यानी दूसरे वर्ग के लोग हो और चूँकि किताब पढ़ते समय आदमी अकेला होता है और अपने आप से झूठ नहीं बोल सकता, इसलिए मुझ पर यह न जमाओ यारो कि तुम हिम्मत के ख़्वाबों से परिचित नहीं हो। 'तुम' कहने पर बिगड़ न जाना मैं तुम्हें अपना यार समझता हूँ, अपना 'बॉस' नहीं कि आप-जी करूँ।

हिम्मत भी चूँकि एक साधारण आदमी था और दुनिया में साधारण आदमियों का बहुमत है। और चूँकि हिम्मत के सपने भी उसी तरह महा-साधारण थे, और दुनिया में महा-साधारण सपने ही ज़्यादा होते हैं, इसलिए मैं जी कड़ा करके आपको (यानी तुमको) यह साधारण कहानी सुना रहा हूँ।

हिम्मत कोई राबिंसन क्रूसो नहीं था। उसकी कहानी केवल इतनी है कि आत्मा की तलाश और सपनों के संघर्ष में उसका शरीर काम आ गया। और वह अपने सपनों के नगर बम्बई की एक बस के नीचे आकर मारा गया। परन्तु मरते समय उसके सपने अवश्य टूट चुके थे क्योंकि

उसके हाथों में ग़ाज़ीपुर के दो टिकट थे और वह ग़ाज़ीपुर जाने के लिए दो सवारियाँ तलाश कर रहा था—दो सवारियाँ इसलिए कि वह ख़ुद तो बेटिकट ही जाना चाहता था क्योंकि वह बेटिकट ही आया भी था।

वह वी. टी. पर उतरा तो चेहरों की भीड़ में उसका चेहरा, हाथों की भीड़ में उसके हाथ और पैरों की भीड़ में उसके पैर गुम हो गए। आदमी यहाँ पूरा आता है। परन्तु यहाँ आकर वह टुकड़े-टुकड़े हो जाता है। कोई केवल हाथ और पेट रह जाता है। कोई केवल आँख और पेट। इस शहर में आपको कोई ऐसा आदमी मुश्किल ही से मिलेगा जो पूरा हो। यहाँ आदमी अपने चेहरे से नहीं, अपने पेट से पहचाना जाता है। सारे सपने उसी में ठूँस लिये जाते हैं। आत्मा की तह करके सपनों के नीचे रख लिया जाता है। क्योंकि सपनों की तो कभी-कभार ज़रूरत पड़ जाती है, परन्तु आत्मा की ज़रूरत तो छुट्टी लेकर घर जाने के बाद ही पड़ती है। और जो बेवकूफ़ यहाँ माथे पर आत्मा का साइन बोर्ड लगाए नज़र आते हैं उनका हाल यह है कि उन्हें कबाड़ी भी नहीं पूछते। क्योंकि आत्मा तो कोई 'ऐंटीक' भी नहीं कि सजावट के काम आए।

वी. टी. पर उतरकर उसने देखा कि वह केवल एक परछाईं है। अपने बदन से बिछड़ी हुई एक परछाईं। वह बहुत घबराया। उसे बी याद आईं। परन्तु उसने जी कड़ा कर लिया क्योंकि वह लीला चिटनिस के शहर में था। ग़ाज़ीपुर का क्या है। ग़ाज़ीपुर तो वह कभी भी जा सकता था। 'कभी'—इस कमीने शब्द के चक्कर में पड़कर वह कभी ग़ाज़ीपुर जा ही न सका। और जब उसके सपने काँच के बरतन की तरह छन से टूट गए और उसे ग़ाज़ीपुर याद आया और उसने ग़ाज़ीपुर के दो टिकट ख़रीद लिए तो बेस्ट कम्पनी की चहाड़ा बस आ गई और वह परछाईं भी कुचल गई।

यह बात मुझे आज तक मालूम नहीं हो सकी है कि उसने दूसरा टिकट किसके लिए ख़रीदा था। एक टिकट तो जुबेदा यानी जुबैदा यानी

जमुना के लिए था। सम्भव है कि दूसरा टिकट उस आत्मा के लिए रहा हो जो उसके साथ बिना टिकट वी. टी. तक आई थी और प्लेटफार्म की भीड़ ही में गुम हो गई थी।

वह बम्बई से बहुत सहमा हुआ था। क्योंकि उसने बहुत सारी हिन्दी फ़िल्में देख रखी थीं। वह जानता था कि किसी को प्यास लगी हो तो बम्बई के टैपों में पानी नहीं होता। और यदि हीरो बेरोज़गार हो तो हर दफ्तर पर 'नो वेकैंसी' का बोर्ड लग जाता है। और हीरो बेचारा मजबूरन स्मगलरों के हत्थे चढ़ जाता है और एक ऐसी कहानी शुरू हो जाती है जिसके बारे में हीरो बेचारे ने घर से चलते समय सोचा भी नहीं था।

हिम्मत को ये फ़िल्मी कहानियाँ ज़बानी याद थीं। और तब तक उसे यह मालूम नहीं था कि हिन्दी फ़िल्मों की कहानी का हिन्दुस्तानी ज़िन्दगी से कोई तअल्लुक नहीं होता।

लीला चिटनिस उसकी हीरोइन थी और शाहनवाज़[1] से उसे बड़ी नफ़रत थी। और वह ख़ुद अशोक कुमार था और वह जानता था कि लीला चिटनिस को पाने के लिए उसे कितने पापड़ बेलने पड़ेंगे। परन्तु 'कंगन', 'बंधन' और 'झूला' सभी फ़िल्मों में होता यही है कि शाहनवाज़ शुरू-शुरू में चाहे जितने तीर मार ले परन्तु आख़िर में लीला चिटनिस अशोक कुमार ही को मिलती है। और वह यही यक़ीन लेकर वी. टी. के प्लेटफार्म पर उतरा था। टैप में पानी हो या न हो, नौकरी मिले या न मिले—परन्तु लीला चिटनिस एक दिन अवश्य मिलेगी।

सोचता हूँ कि यह बात यहीं बताकर तब आगे बढ़ूँ कि लीला चिटनिस उसे नहीं मिली। सच पूछिए तो लीला चिटनिस को देख भी न पाया। लीला चिटनिस का नशा तो एक दिन के बाद ही उतर गया। हाँ, शाहनवाज़ का सामना उसे अवश्य करना पड़ा। असली शाहनवाज़ तो पाकिस्तान जा चुका था। परन्तु चौपाटी भी शाहनवाज़ थी। जहाँ लोग आइसक्रीम खाते

1. मशहूर फ़िल्मी विलेन—यानी अपने ज़माने का प्राण।

थे और भेलपुरी खाते थे, और गर्म-गर्म चने और तली हुई मूँगफलियाँ खाते थे और गुजराती, मराठी, अंग्रेज़ी और बम्बइया हिन्दी (या उर्दू) में फ़्लर्ट करते थे और खादी, सिल्क, कॉर्डराय और शार्कस्किन के कहकहे लगाते थे और फैनी, रम, स्कॉच और रेस के घोड़ों के पसीने में नहाए हुए थके-थके से दिखाई देते थे। और लड़कियाँ—परन्तु लड़कियों का तो उसे ज्ञान ही नहीं था। यही तो कारण है कि उसने जब जमुना का प्यार लिया और उसकी सस्ती लिपस्टिक की कड़वाहट उसकी ज़बान पर और उसका गहरा लाल रंग उसके होंठों पर उतर गया तो वह बड़ा चकराया और राजा से बोला : "यार ई लड़कियन के होंठ त बहुत कड़ुवे होते हैं और सालन से रंग छूटता है।" राजा खिलखिलाकर हँस पड़ा। ईमान की बात तो यह है कि राजा को भी लड़कियों का कोई ख़ास ज्ञान नहीं था। परन्तु उसने यह अवश्य सुन रखा था कि लड़कियों के होंठ कड़ुवे नहीं होते, और कम से कम इतना तो वह अच्छी तरह जानता था कि उसकी बिल्लो के होंठ तो कड़ुवे नहीं थे।

मगर अभी ये बातें करने से क्या फ़ायदा। अभी जब आपको यही नहीं मालूम कि राजा कौन था तो आप भला बिल्लो के होंठों के बारे में क्या जान सकते हैं? लेकिन एक बात जान लीजिए कि बिल्लो बड़ी धाँसू लड़की है और उसके होंठ डबल धाँसू हैं। कभी बम्बई आना हो तो माहिम चर्च का पता पूछ लीजिए किसी से। इस चर्च का पता सबको मालूम है क्योंकि यहाँ हिन्दू, मुसलमान, सिख, ईसाई सभी आते हैं, मन्नतें माँगते हैं। इसी चर्च के पीछे एक छोटा-सा मन्दिर है। उसी मन्दिर की सीढ़ियों पर वह फूल बेचती है। जब तक वह जवान नहीं हुई थी तब तक वह मन्दिर सूना पड़ा रहा करता था। परन्तु एक दिन बम्बई के भक्तों को पता चल गया कि वह जवान हो गई है, बस फिर क्या था, देखते ही देखते उस मन्दिर का भगवान इतना पॉपुलर हुआ कि उसके पुजारी ने बम्बई में तीन बिल्डिंगें खड़ी कर लीं।

हिम्मत को भी यह पता नहीं चला था कि बिल्लो जवान हो गई है। परन्तु एक शाम जब वह अपनी जुबेदा की तलाश में मन्दिर की तरफ़ जा निकला तो भक्तों की भीड़-भाड़ देखकर सन्नाटे में आ गया। बोला :

"बिल्लो इ मन्दिर का भगवान तो बड़ा पॉपुलर हो गया है।"

जमुना बोली : "अरे हिम्मत तू अपना बंडल मंजन बेच! भगवान के लफड़े में न पड़। अरे इस भगवान के पास कउन आता है रे! तेरे को इ भी नहीं दिखता कि बिल्लो जवान हो गई है। भगवान तो यहाँ कब से पड़े पिनका करते थे। कौन आता है इनके पास?"

हिम्मत ने यह सुनकर बिल्लो की तरफ़ देखा। वह तो वाकई जवान हो गई थी।

"अपुन की तरफ़ ऐसे काहे को देखता है?" बिल्लो बोली। बिल्लो की ज़बान उसकी जवानी से भी ज़्यादा तेज़ थी। हिम्मत घबरा गया। राजा खिलखिला के हँस पड़ा और बोला :

"देख बिल्लो! हिम्मत अपना यार है। बाक़ी इस जुबेदा से पूछ कि ई इधर काहे को आती है रोज़-रोज़।"

जमुना राजा को घूरने लगी। बोली : "देख राजा तू अपन को भगवान का सामने जुबेदा मत बोला कर। इ अपन को जुबेदा समझ लेगा तो बड़ा लफ़ड़ा हो जाएगा। अपन हिन्दू हैं।"

"हिन्दू है तो अपने को मुसलमान काहे को बोलती है?" यह प्रश्न बिल्लो ने किया।

"देख बिल्लो तू धंधे की बात में मत बोला कर। जमुना फ़िल्म इस्टार नहीं है। सड़क इस्टार है। गाहक लोग आजकल मुसलमानी नाम सुनकर ख़ुश होता है।"

"बाक़ी तू भगवान से का माँगती है रोज़?" हिम्मत बोला।

"गाहक।" यह टुकड़ा बिल्लो ने लगाया।

जमुना ने बिल्लो की आँखों में आँखें डाल दी। बोली : "तेरे पास भी गाहक यही भेजता है और मेरे पास भी। ई धंधा करवा रहा है हरामी, तो गाहक कौन भेजेगा मेरा बाप?"

"तेरा बाप था कौन?" राजा बोल पड़ा।

"अपनी माँ से पूछ।" जमुना चमककर बोली।

राजा खिलखिलाकर हँस पड़ा : "अरे अपन की माँ का नाम तो बम्बई है जमुना। यह रोज़ तीस-चालीस लाख आदमियों के साथ सोती है। उसे तेरे बाप का नाम भला क्या याद होगा? तेरा बाप तो यही साला भगवान है जो बेशरम तेरे से ई धंधा करवा रहा। बाक़ी तूँ अपन को ई बता कि तू भगवान से का माँगने जाती है रोज़-रोज़? ई भगवान भी तेरे बुढ़ापे को नहीं रोक सकता। अपन का कहना मान। ई धंधा छोड़, घर बना ले।"

"घरवाला माँगने ही जाते हैं अपन।"

"राजा को मत मंगबे जमुना। केहु मारे जो भगवान दे भी दिहिन तो इ बिल्लो टेंटुआ दबा के छीन लीहे और भगवानो की अय्यसी-तय्यसी कर दीहै।"

जमुना भादों के महीने की तरह चमकी : "जमुना राजा को न माँगे तो का बंडल हिम्मत को माँगे?"

हिम्मत मुस्कुरा दिया : "माँगकर देख। का पता हिम्मत जौनपुरी मिलो जाएँ।"

"इ जौनपुर कहाँ है?" बिल्लो ने पूछा।

"ग़ाज़ीपुर के पास।"

"अउर ग़ाज़ीपुर कहाँ है?" राजा ने पूछा।

"जहाँ हमरा घर है।"

"ई घर का होता है राजा?" बिल्लो ने राजा से पूछा।

"राजा साला क्या जाने कि घर क्या है।" हिम्मत की गरदन में एक तनाव आ गया। "इ तो उहे बताएगा बिल्लो जो घर-आँगन देखिस होय।"

"आँगन?" बिल्लो चौंक पड़ी। "आँगन का होता है?"

इस सवाल पर हिम्मत सटपटा गया। बोला : "तूहें इहो ना मालूम की आँगन का होता है। आँगन ओको कहते हैं बिल्लो कि चारपाई बिछाई कर रात को लेट जाओ तो दूर तक मार आसमाने आसमान दिखाई दे।"

जमुना हँसते-हँसते लोट-पोट हो गई। हिम्मत ने उसे शिकायत भरी नज़रों से देखा तो उसकी हँसी और बढ़ गई। आख़िर बड़ी मुश्किल से हँसी रोककर बोली : "अरे तो आँगन-आँगन का बोलता है। फुटपाथ बोल फुटपाथ।"

यह कहती हुई वह मन्दिर की सीढ़ियाँ चढ़ गई। परन्तु वह जैसे ही मन्दिर के फाटक के सामने पहुँची वैसे ही एक मन्दिर से बाहर निकला और उसकी आँखों ने जमुना के बदन से एक बात कही। जमुना का मुँह उतर गया। उसने मूर्ति की तरफ़ शिकायत से देखा। फिर वह मुड़ी और सीढ़ियाँ उतरने लगी। और उसने वहीं से देखा कि बिल्लो दुकान बढ़ाकर जा चुकी है। राजा भी नहीं है। बस हिम्मत बैठा अपने मंजन के थैले पर हाथ फेर रहा है।

"तू बेलानाहक़ में जमुना की राह मत देखा कर।"

हिम्मत यह आवाज़ सुनकर मुड़ा।

"माँग आईं राजा को?" उसने पूछा।

"ई भगवान बड़ा चार सौ बीस है हिम्मत," जमुना बोली, "माँगने ही नहीं देता। रोज का यही लफ़ड़ा है। जब अपन जाते हैं वह दरवाज़े से हाथ निकालकर एक गाहक फेंक देता है अपन की झोली में। तू भी कभी भगवान हो गया तो यूँ ही जमुना को धितकार देगा ना!"

हिम्मत को यह बात बुरी लगी। बोला : "देख जमुना हम तोसे कै बेरी कह चुके हैं कि तैं हम्में भगवान से मत मिलाया कर। अरे जब ऊ ससुर हिम्मत जौनपुरी नहीं बन सकता त हम साले को पागल कुत्ता काटिस है का की भगवान बन जाएँगे। भगवान बनके ई कंडम दुनिया

के लफड़े में कउन पड़े। हिम्मत जौनपुरी संसार चलाए का टेंडर थोड़े भरिन हैं। हम्में त अपनी फ़िल्म चलाए को है।"

"तू अपन को फ़िलिम में चानस देगा ना?"

"हम तूँहें को साइड हीरोइन डाले को डिसाइड कर लिया है।"

"फिर वही साइड हीरोइन?"

"देख जमुना, हम हीरो होते त तुंहें हीरोइन का, हीरोइन का बाप डाल देते। बाक़ी तैं फ़िकर मत कर। हीरोइन का रोल बिलकुल कंडम है। साइड का रोल बड़ा धाँसू है। एक सिचुएशन सुन..."

"अपन की सिचुएशन तो उधर खड़ी है," जमुना उसकी बात काटकर बोली। हिम्मत ने आँखें उठाकर सामने देखा। एक आदमी बिजली के खंभे के नीचे खड़ा जल्दी-जल्दी सिगरेट पी रहा था।

जमुना उसके गाल थपथपाकर उसकी तरफ़ चली गई।

देखा आपने इस जुबेदा यानी जमुना को। यह बड़ी ज़हीन लड़की है। सड़क का धंधा करती है। यह जानती है कि धंधे का कोई धर्म नहीं होता। गाहक को जो नाम अच्छा लगे वही अच्छा नाम है। इसीलिए रात को वह जमुना से जुबेदा बन जाती है।

यह इस कहानी की हीरोइन है। हो सकता है कि हिम्मत जी जाता तो एक 'मसनवीये-होशरुबा यानी क़िस्सये-रामो-सीता' और उसमें एक छोटी-सी मसनवी 'दरबयाने जुबेदा यानी जमुना' भी जोड़ देता।

परन्तु अब ये ख़याली घोड़े दौड़ाने से क्या फ़ायदा। क्योंकि अब तो वह मर चुका है। और 'दरबयाने-जुबेदा' लिखने की ज़िम्मेवारी मुझ पर आ पड़ी है।

बम्बई में उसकी मुलाक़ात सबसे पहले जमुना ही से हुई थी।

हुआ यही कि बम्बई आने के फ़ौरन बाद हिम्मत को जो पहली बात मालूम हुई, वह यह थी कि यहाँ बी नहीं हैं कि उसे प्यार से घुड़क-घुड़ककर खाना खिलाएँगी। और इसका मतलब यह था कि उसे काम

करना पड़ेगा। परन्तु वह जानता था कि बम्बई में हीरो को काम नहीं मिलता। उसके पास जूते का एक ही जोड़ा था। इसलिए वह उसके तल्ले घिसवाना नहीं चाहता था। तो वह स्मगलरों की राह देखने लगा। रात होती तो वह चुपचाप कहीं पड़ जाता और कान लगाकर बैकग्राउंड म्यूज़िक सुनने की कोशिश करने लगता। परन्तु उसे कई दिन तक वह बैकग्राउंड म्यूज़िक न सुनाई दिया जो स्मगलरों के बॉस के साथ-साथ चलता है। तब जब कि एक रात वह बहुत भूखा था उसे एक कहावत याद आई : धूल में रस्सी बटना।

अब यह बिलकुल इत्तिफ़ाक़ है कि जब वह अपने 'जादुई मंजन' की पुड़ियाँ बेच रहा था और टार्ज़न ने आकर उसका मजमा बिगाड़ दिया था और वह हैरान हो रहा था कि टार्ज़न तो पुलिस की वर्दी में भी नहीं है फिर आख़िर घूस क्यों माँग रहा है, कि जमुना आ गई।

"काहे को सताता है बेचारे को?" जमुना ने टार्ज़न से कहा।

"तू तो अपने को सताने नहीं देती," टार्ज़न ने उसे आँख मार दी, "तो क्या करें? चल बे, हटा अपना झोला-झक्कड़ यहाँ से," उसने हिम्मत से कहा।

"तूँ सी. आई. डी. हौ का?" हिम्मत ने डरते-डरते सवाल किया।

जमुना खिलखिलाकर हँस पड़ी।

"इ दादा है।"

"का है?" हिम्मत ने हैरान होकर पूछा।

"दादा।" जमुना बोली।

"हट झुट्ठी कहीं की" हिम्मत ने कहा, "दादा त बुड्ढे होते हैं।"

सब हँस पड़े। हिम्मत घबरा गया। बोला : "अल्ला क़सम।"

इसी क़सम ने जमुना को पिघला दिया।

"कब आया है?" उसने पूछा।

"तूँ से मतलब।"

"केतने का कमाई किया?"

"अभई कमाई कहाँ भई। एक्को डबल कमाया हो तो क़सम ले ल्यो।"

"अरे टार्ज़न, बोल न हरामी से कि रोटी खाए। क़सम खाए से पेट नहीं भरता।"

फिर वह वहीं बैठ गई और हिम्मत से बातें करने लगी।

हिम्मत से बम्बई पहली बार बोली थी सीधे मुँह से, इसलिए उसने अपने बारे में सब कुछ बता डाला। उसने लीला चिटनिस से अपने इश्क़ की बात भी नहीं छुपाई। इस इश्क़ की बात सुनकर जमुना फिर हँस पड़ी और बोली : "अरे तेरे बरोबर का तो ओका छोकरा होवेगा।"

"नाहीं?" हिम्मत की आँखें हैरत से फैल गईं।

"नाहीं का," जमुना बोली, "चल तेरे को गफ़्फ़ार चाचा से मिला दें। ऊ सलोचना पर आशिक़ होके आया था। अरे ई इशिक-उशिक बिलकुल बंडल है। बम्बई में ख़ाली धंधा होता है।"

"का तूँ हू धंधा करती हो?"

"हाँ"

"केतना कमा लेती हो?"

"नवा-नवा धंधा है। पन्दरह-बीस रुप्या मिल जाता है।"

"महीना?"

"पन्दरह-बीस रुप्या महीना में कउन जी सकेला ई बम्बई में। रोज़ की बात कर रोज़ की!"

"इ कउन धंधा है भय्या," हिम्मत चकरा गया, "हमहूँ को बता द् यो त हमहूँ इहे धंधा करे लगें अउर बीयो को इँहईं बुला लें।"

"बीयो कौन?"

"बीयो ना। बी। हमरी अम्माँ। बड़ी अच्छी हैं ऊ! तूँ उनके एक बेर देख लिहो ना त उनहीं की हो जय्यहो। ऊ हिआँ आके अरहर की दाल बघरिहें त सारी बम्बई महक से गमक जय्यहे। हाँ!"

"बुला ले अपनी बी को।"

"बुला कय्यसे लें। अपने खाये का ते ठेकाना ना हैं। बाक़ी तूँ अपना धंधा बताद्यो त ओको शुरू करके हम उनहें तुरन्ते बुलाइलें।"

"तेरे से अपन का धंधा नहीं होगा।"

"होइहे कय्यसे नहीं। तूँ बताके तो देखौ।"

"अच्छा चल। पहले गफ़्फ़ार चाचा से मिल ले। फिर बता देंगे।" और यूँ हिम्मत को जमुना ने गफ़्फ़ार चाचा से मिलाया।

गफ़्फ़ार चाचा चायख़ाने में बैठे हुए लोगों को दैनिक 'इंकिलाब' पढ़कर सुना रहे थे और लोग यूँ सुन रहे थे जैसे कुरआन सुन रहे हों, कि राजा की निगाह जमुना पर पड़ गई। वह बोला : "चाचा आज तो दारू की इस बोतल पर अपना ही नशा चढ़ा हुआ है। अपन की प्यास भी भड़क रही है।"

"अरे गंगा-जल पी गंगा-जल," जमुना चमकी, "तू क्या पीएगा जमुना को।" यह कहती हुई वह चाचा की तरफ़ मुड़ी। "ई हिम्मत है जौनपुरी है।"

"तोरा घर कउन महल्ले में है?" गफ़्फ़ार चाचा ने पूछा।

"सट्टी मसजिद में।"

"इ सट्टी मसजिद कउन महल्ला है जौनपुर में?"

"सट्टी मसजिद ग़ाज़ीपुर में है।"

"अरे त इ काहें न कहत्यो कि ग़ाज़ीपुर के हो। ई त अजब बात है कि तोरा घर ग़ाज़ीपुर में है और तूँ जौनपुरी हो।"

"हमरे मूरिस जौनपुरे से आए रहे।"

"अरे गोली मारो अपने मूरिसन को। ऊ रहे होइहें जौनपुर के। बाक़ी तूँ त ग़ाज़ीपुर के भयो न!" गफ़्फ़ार चाचा मुस्कुराए। "के के लड़के हौ?"

"शेख़ सलामत अली नादिर जौनपुरी।"

"अरे त इ काँहें न कहत्यों कि आरजू उस्ताद के पोते हो।" यह कहते-कहते गफ़्फ़ार चाचा राजा की तरफ़ मुड़े। "अरे इ आरासिंह, दारासिंह उस्ताद आरजू के सामने मिनट भर ना टिक सकते राजा।" वह उस्ताद आरजू की पहलवानी की कहानियाँ सुनाने लगे। फिर वह हिम्मत से बोले : "ऊ हमरे उस्ताद हैं।"

यह इशारा था कि गफ़्फ़ार चचा ने हिम्मत को अपना मान लिया। चुनाँचे वह हिम्मत के लिए चाय बनाने लगे और जमुना से बोले : "ख़बरदार जो तूँ हमरे लड़के को ख़राब कियौ।" और यह कहते-कहते उन्होंने हिम्मत के सामने चाय की एक प्याली बढ़ा दी और बोले : "ले बेटा चाय पी ले। अउर दिल छोटा मत कर। हमहूँ सलोचना के फेराक़ में ग़ाज़ीपुर से बगटुट भागके हिआँ आए रहे। अल्लाह मियाँ हमरे हाथ में केतली थमाय के मज़े से दूसरी तरफ़ देखने लगे। जय्यसे इ हरमज़ादी केतली सलोचना के बरब्बरे है। बाक़ी का करते चुप लगा गए। फिर सोचा कि बम्बई आइ गए हैं त हजे करके लउटें घर। बस इहे सोच के फँस न गए। जब दू-चार साल में हज भर का पय्यसा जोड़-बटोर के टिकट ख़रीदे जाते हैं त पता चलता है कि हज का दाम बढ़ गया। जना रहा कि हज का इंचारज अल्लाह मियाँ कउनो बनिये को बना दिहिन हैं।"

"इ हिम्मत फिलिम बनाए को बोलता है," जमुना बोली, "फिलिम बना के जब इसका पास रुपया जमा हो जाएगा तो इ तेरे को हज करने ज़रूर भेज देगा चाचा।"

हिम्मत कुछ कहना ही चाहता था कि झोंपड़पट्टी से रज्जो की माँ की आवाज़ से गूँज उठी :

"हमरी मुरग़ी का पता बता देत जा लोग, ए भाई इ महल्ले में त मुरग़ी पालन जुरुम हो गवा है। जना रहा कि हमरी ज़िन्दगी मुरग़ी और नतनी ढूँढ़े में बीत जय्यहे। ई बम्बई मुरग़ी और नतनी रक्खे का शहर ना रह गवा है..."

आवाज़ धीरे-धीरे दूर हो गई।

"इ चिरय्या कोट की है। एकी नतनी बिआहे काबिल हो गई रही। बाक़ी पय्यसे बिना त बिआह ना होता ना। पेट से हो गई। ई पागल है।"

"इ बम्बई में छोकरी लोग को कउन बोलता है जवान होय को?" राजा ने पूछा।

किसी ने उसके सवाल का जवाब नहीं दिया।

"अल्लाहो मियाँ का जी का हो गया है?" गफ़्फ़ार बोले, "रज्जो को जवान करके ओका बिआह करना भूल गए मरदे आदमी। जमुना से पेशा करवा रहें ससुर।"

गफ़्फ़ार चचा के इस्लामी होटल में हिम्मत का घर और उसकी फ़िल्म कंपनी का दफ्तर बन गया। यहीं बैठकर चाचा की स्पेशल चाय पीते-पीते उसने अपनी फ़िल्म और अपनी जुबेदा के ख़्वाब देखे। इस दुकान पर कोई उसके ख़्वाबों का बुरा भी नहीं मानता था। क्योंकि इस दुकान पर केवल वही लोग चाय पीने आते थे जिनके पास ख़्वाबों के सिवा और कुछ नहीं होता।

हिम्मत दिन भर मजमा लगाकर अपना 'जादुई मंजन' बेचता और रात को गफ़्फ़ार चचा के गाहकों को अपनी फ़िल्मी कहानी सुनाता, दाहिने-बाएँ रोल बाँटता। लोग भी ख़ुश हो जाते और इस ख़्वाब के झाड़न से दिनभर की थकन की गर्द झाड़ते अपने घर चले जाते।

हिम्मत अपनी कहानी शुरू करता तो लोग मुस्कुराकर चुप हो जाते।

"कैमरा क्लोज़अप से ट्रैक-बैक करता है और क्लोज़शॉट में हीरोइन को देखता है जो गन्ना खा रही है। कट। अब हम का बताएँ चच्चा कि हीरोइन कैसी है? अरे ऊ इतनी ख़ूबसूरत है कि वहीदा रहमान उहमान त ओके सामने बिलकुल वग़ैरा-वग़ैरा मालूम होयें लगें। ख़ैर, कैमरा हीरोइन के चेहरे पर है कि बैकग्राउण्ड म्यूज़िक एकदम से ससपेंसवाला हो जाता

है। कट करके देखते हैं कि मियाँ परान[1] हाथभर का छुरा लिए हीरो की तरफ़ बढ़ रहे। परान के छुरे को लौकी में डिज़ाल्व मारा। अब का देखते हैं कि हीरोइन की अम्माँ बइठी लौकी छील रहीं अउर आप यानी हीरोइन का बाप मोर छाप बीड़ी का बंडल खोल रहा।..."

"अरे बेशरम," गफ़्फ़ार चचा ने बात काटी, "तें कट कुलोज़प करता घूम रहा और तेरी हीरोइन सड़क का गज़ बनी घूम रही।"

"कट! कट!! कट!!!" हिम्मत ने शोर करना शुरू किया, "चच्चा आप ज़िन्दगी भर ऐक्टर ना हो सकते। अरे साहब इसक्रिप्ट के बाहर मत जाया कीजिए।"

कहने का मतलब यह है हिम्मत जमुना पर आशिक़ हो गया था और यह बात सारी झोंपड़पट्टी को मालूम थी। जमुना हिम्मत से उम्र में कई साल बड़ी थी। परन्तु इश्क़ कहीं उम्र देखता है।

हिम्मत को जमुना का जुबेदा बनना पसन्द नहीं था। तो एक दिन उसने हिम्मत करके जमुना से दिल की बात कह दी।

"हम तोसे कय्यसे कहें की तैं ई धंधा छोड़ दे।"

जमुना उसकी तरफ़ देखने लगी, परन्तु वह हमेशा की तरह मुस्कुराई नहीं। उसने चोली में हाथ डालके कुछ नोट निकाले और उन्हें हिम्मत की तरफ़ बढ़ाती हुई बोली :

"इ अपन के गाढ़े पसीने की कमाई है हिम्मत! चाचा से बोल कि इ पय्यसा अपने हज फंड में डाल लें या तैं ई पय्यसा अपनी बी के पास भेज दे तो जमुना आज ही धंधा छोड़ दे। और जो तेरे से ई पय्यसा ना लिया जाए तो अपना बंडल मंजन बेच अउर ट्राफ़िक निसपेक्टरी छोड़ दे।"

ज़ाहिर है कि मनुष्य की वासना की कीचड़ से उठाए हुए वे रुपये न हज फंड में डाले जा सकते थे और न ही बी को भेजे जा सकते थे। तो हिम्मत जमुना की तरफ़ लाचारी से देखने के सिवा और क्या कर सकता

1. मशहूर फ़िल्मी विलेन प्राण।

था। उसे लाचारी से अपनी तरफ़ देखता हुआ पाकर जमुना पिघल गई और बोली : "देख हिम्मत, तू धंधे में टाँग मत अड़ाया कर। तू बिल्लो से काहे को नहीं बोलता कि ऊ फूल बेचना छोड़ दे। तू गफ़्फ़ार चाचा से काहे को नहीं बोलता कि ऊ चाय बेचना छोड़ दें। बिल्लो के पास फूल हैं। गफ़्फ़ार चाचा के पास चाय है। अपन के पास बदन है। जेके पास जो होवेगा ऊ वही चीज़ तो बेचेगा।"

यह इश्क़ यूँ ही चलता रहता। हिम्मत और जमुना की शादी न होती परन्तु यह इश्क़ चलता रहता। जमुना को आतशक हो जाता परन्तु यह इश्क़ चलता रहता। जमुना भीख माँगती-माँगती मर जाती और यह इश्क़ चलता रहता। परन्तु इस इश्क़ में एक अड़चन पड़ गई। अड़चन यह थी कि :

हिम्मत जमुना से प्यार करता था।

जमुना राजा को चाहती थी।

राजा बिल्लो को चाहता था।

बिल्लो घर का ख़्वाब देखती थी।

और टार्ज़न जमुना को चाहता था।

सारा घपला इस टार्ज़न की वजह से हुआ। टार्ज़न न होता तो हिम्मत हर शरीफ़ आदमी की तरह बीमार-वीमार पड़कर मरा होता।

हुआ यह कि एक रात जमुना थकी-हारी लौट रही थी कि उसके रास्ते में टार्ज़न आ गया। जमुना ने गरदन झिटककर बढ़ जाना चाहा तो वह बोला : "इधर-उधर देखकर चल जमना। हम भी तो पड़े हैं राहों में।"

जमुना ने यह सुनकर उसकी तरफ़ देखा : "जमुना के पास रास्ते का कूड़ा-करकट जमा करने का समय नहीं है। पाँच रुपये जेब में हों तो जमुना से बात कर।"

टार्ज़न बोला, "पाँच हज़ार ले ले जमुना, बाक़ी रुपये की बात मत बोल। प्यार का नशा मत बिगाड़।"

"अच्छा अलग हट। धंधे का टेम है।"

"अपन के साथ चल। डबल बैड रूम का फ़्लैट में डाल देंगे।"

"जमुना को फ़्लैट का झाँसा मत दे। पाँच रुपया दे और ले चल अपने फ़्लैट में।"

"अपन तेरे को ख़रीदना नहीं चाहते जमुना।"

"हाँ तो जमुना फ़ोकट का माल नहीं है। अउर धंधे के टेम अपन को जुबेदा बोला कर।"

हिम्मत को टार्ज़न की इस बातचीत का पता नहीं था। वह रोज़ की तरह जुहू बीच पर मजमा लगाए हुए था : "दाँत न हों तो ज़िन्दगी ख़राब है। जीवन नष्ट है। लाइफ़ बिलकुल स्पोआयल है। इसलिए भाइयो और बहनो कान लगाकर सुनो! और ए बच्चा लोग ज्यास्ती शोर मत करो। तो मैं यह कह रहा था कि राजकुमार मंजन की तलाश में घोड़ा उड़ाए चला जा रहा था। टप टप। टप टप। टप टप। टप टप।..."

भीड़ को चीरता हुआ टार्ज़न आ गया। उसकी आँखों का रंग देखकर हिम्मत की ज़बान बन्द हो गई। मजमा तितर-बितर हो गया। बस जमुना रुकी रह गई। टार्ज़न ने हिम्मत का झोला छीन लिया और फिर उसके मुँह पर एक रुपया फेंककर बोला : "इ रुपया अपन की तरफ़ से राजा को दे देना भेल-पूरी खा लेगा। और बोल देना कि माँ का दूध पिया हो तो अपन से यह झोला ले जाए।"

अपनी बात ख़त्म करके वह चला गया।

जमुना भी चली गई।

हिम्मत सागर की लहरों के शोर में अकेला खड़ा रह गया।

और उस रात पहली बार गफ़्फ़ार टी स्टाल ने देखा कि वह सदा की तरह हँस नहीं रहा है। तो राजा ने पूछा : "ओ मंजनवाले रैटर। तेरी फ़िल्म आज साइलेंट काहे को हो गई है?"

सबने एक साथ हिम्मत की तरफ़ देखा। हिम्मत ने जेब से रुपया निकालकर राजा की तरफ़ बढ़ा दिया।

"टार्ज़न तेरे को भेल-पूरी खाने को दे गया है।"

ग़फ़्फ़ार इस्लामी होटल में सन्नाटा छा गया, और तब हिम्मत ने बग़ैर कट और डिज़ाल्व के झोले की कहानी सुना डाली।

राजा खड़ा हो गया। "अपन अभी लाते हैं तेरा बैग।" वह बाहर की तरफ़ लपका।

"अरे गोली मार उस बैग को।" हिम्मत ने माहीम क्रीक पर उसे जा पकड़ा।

"ऊ झोले में अपन की इज़्ज़त है हिम्मत।" आती हुई जमुना को देखकर वह चुप हो गया। जमुना अपने हाथ पीछे किए चली आ रही थी। वह उनके सामने आकर खड़ी हो गई, और बोली :

"ऊ झोले में तेरी इज़्ज़त थी ता य ले अपनी इज़्ज़त।"

उसने हिम्मत का झोला राजा के क़दमों में डाल दिया।

राजा का सारा बदन तन गया। जमुना बोली : "देखता का है। अपन तेरी इज़्ज़त ख़रीदकर लाए है।"

"नक़द?" राजा ने पूछा।

"अपन उधार का लफड़ा नहीं पालते।"

"अपन की इज़्ज़त का तूने का दाम लगाया?"

जमुना हँस पड़ी। बोली : "अरे राजा अपन के पास तो एक ही नोट है। जब ले चल रहा, चल रहा।..."

शायद वह कुछ और कहती। परन्तु राजा के थप्पड़ ने उसकी बात काट दी। वह गिर पड़ी। उसके होंठ फट गए। परन्तु वह झट से उठी और राजा की आँखों में आँखें डालकर बोली, "तू तो बड़ा बहादुर निकला रे।"

राजा इस वार के लिए तैयार न था। वह लड़खड़ा गया। जमुना बोली : "तेरी इज़्ज़त इ झोले में थी। अपन का बदन हिम्मत का झोला नहीं है राजा! अरे, जमुना तो टैक्सी है टैक्सी! तेरी प्रैवेट कार नहीं है।"

राजा जो बड़ा दादा था गरदन झुकाए चला गया। हिम्मत अपने रूमाल से जमुना के होंठों का ख़ून साफ़ करने लगा। जमुना बोली : "अरे अपन से इतना प्यार मत कर हिम्मत। अपन तो फुटपाथ हैं रे। तू भी गुज़र जा। तेरे को तो पता है कि टार्ज़न राजा को मार डालता। ऊ अपन से कै बार बोल चुका था कि ऊ अपन पर जान देता है। तो अपन आज उसके पास गए और बोले, ऊ झोले में हिम्मत का फ़िलम कंपनी है टार्ज़न। अउर ऊ अपन को चानस देने को बोला है। साइड हीरोइन डाले को बोला है।"

"तू तो हीरोइन है जमुना, हीरोइन। हम तोको घर ले चलेंगे। ग़ाज़ीपुर।"

"तू तो पागल है। जमुना घोड़बन्दर रोड है हिम्मत। इत्ती बड़ी सड़क तेरे घर में कय्यसे समाएगी भला?..." वह उसका गाल थपथपाकर चली गई।

हिम्मत ने अपने झोले को देखा जिसे आवारा कुत्ता सूँघ रहा था। उसने घिन्नाकर उस झोले को उठाया। पलभर उसने उस झोले को देखा, और फिर उसने सागर में फेंक दिया।

वह रात न मालूम कहाँ गुज़ारी, किसी को नहीं मालूम। वह दिनभर भी ग़ायब रहा। रात को वह जमुना के पास आया और उसे बैंड स्टैंड ले गया। वहाँ उसने अपनी जेब से ग़ाज़ीपुर के दो टिकट निकाले और जमुना को वह टिकट दिखाकर बोला : "अब इ धंधा छोड़ दे। ग़ाज़ीपुर चल।"

जमुना बोली : "अपनी बंडल फिलिम के डाइलाग मत बोल।" उसने हिम्मत की आँखों में आँखें डाल दीं। "बाक़ी तू अपन से बिआह बनाने को मत चाह। अपन जूठे हैं।"

"हम तोको अपने प्यार की राख से माँज-मूँज के चमका लेंगे। अरे तैं दपदपाये न लगे त हम अपना नाम बदल देंगे। तू नई हो जाएगी, नई!"

"जमुना अब नवी नहीं हो सकती रे!" वह उदास हो गई। "अपन टैक्सी हैं हिम्मत। जबले मीटर चल रहा, चल रहा। फिर ठप।"

"अरे हम अपने प्यार का ब्रासो घिस-घिसके तोको एकदम मेडिन जरमनी बना देंगे..."

एक सीटी बजी। जमुना ने सीटी की तरफ़ देखा। उसे देखकर वह खड़ी हो गई। समुद्र की तरफ़ पीठ कर बोली : "पुराना गाहक है।" और यह कहकर वह हिम्मत के गाल थपथपाए बिना चली गई और हिम्मत उन दोनों टिकटों की तरफ़ देखता रह गया जिस पर अंग्रेज़ी और हिन्दी में बम्बई से ग़ाज़ीपुर तक का फ़ासला लिखा हुआ था!

वह वहाँ से उठ गया। अब वहाँ उसका क्या काम था?

माहीम के चौराहे तक आते-आते उसे ख़याल आया कि यह दोनों टिकट नाहक़ ख़राब होंगे, तो वह बीच चौराहे पर रुककर चिल्लाने लगा :

"ग़ाज़ीपुर दो सवारी। ग़ाज़ीपुर दो सवारी।..."